La musique des anges

Catherine Bensaid

La musique des anges

S'ouvrir au milieu de soi

ÉDITIONS FRANCE LOISIRS

À Carole, Claire, Laure et Lou
des anges en devenir.

Édition du Club France Loisirs,
avec l'autorisation des Éditions Laffont.

Éditions France Loisirs,
123, boulevard de Grenelle, Paris.
www.franceloisirs.com

© Éditions Robert Laffont, S.A., Paris, 2003
ISBN 2-7441-7658-3

La musique des anges, c'est surtout la force et la douceur du sentiment que j'éprouve pour toi, mon amour, ton regard qui vient de si loin que je ne doute pas un instant que ce soit le ciel qui nous ait réunis.

« — Pourquoi on t'appelle le maître des oiseaux ?

— Tout d'abord, je ne suis pas le maître des oiseaux, mais leur serviteur. Si tu les sers et tu sais écouter leur chant, un jour tu comprendras leurs secrets, car ils ont beaucoup de secrets à te communiquer.

Medhi réfléchit à ce que lui avait dit le vieil homme. Et les jours suivants, il les observa différemment, avec curiosité, comme des énigmes, de mystérieux messagers qui voyageaient entre le ciel et la terre et il décida de devenir aussi leur serviteur. Mais surtout il écoutait leurs chants. Il écoutait leurs mille nuances comme on écoute une musique particulièrement subtile et profonde.

Lorsqu'il était ainsi à écouter le chant des oiseaux, au bout d'un moment, il oubliait tout. Plus rien n'existait, il sentait quelque chose se délier, se dégager, et il restait immobile dans un état de bonheur particulier qui affleurait comme un grand espace immense et clair. Et parfois, il semblait être tout au bord d'une grande révélation qui allait fondre sur lui et bouleverser sa vie.

Alors brusquement, tout s'illuminerait, tout deviendrait évident. Il saurait ce que disent les oiseaux. Il saurait pourquoi le ciel est bleu et l'herbe verte, et la création serait comme un livre ouvert... »

ABDEL SAADI
« Le maître des oiseaux », conte soufi

« Tu es toutes choses,
Pourquoi encore désirer quelque
chose.
En toi sont le ciel, la terre
et les milliers d'êtres angéliques. »

ANGELUS SILESIUS
Le Pèlerin chérubinique[1]

Le monde des anges est-il en dehors de nous, entité mystérieuse dont nous pouvons être à l'écoute comme nous le sommes du chant des oiseaux ? Devons-nous, ainsi que le maître des oiseaux, nous rendre serviteurs de ce chant éternel ? Chant de la vie, que nous pouvons écrire avec une majuscule, tant il faut savoir nous rendre à son service. Rendre grâces, rendre hommage à la Vie, voici notre chance et notre devoir.

Les anges sont des messagers d'un univers où règnent l'amour et la joie. Mais cet univers, n'est-ce pas aussi le nôtre ? Nous portons en nous les germes d'une vie meilleure. Les anges nous relient

_____

1. Angelus Silesius, *Le Pèlerin chérubinique*, Albin Michel, 1994.

à un monde toujours plus grand, plus ouvert, plus aimant, plus lumineux : ce monde est en nous. Si les anges nous parlent comme s'ils venaient du dehors, c'est bien du dedans qu'il nous faut les entendre : dans cette part divine, cristalline, angélique qui est la nôtre.

Quand j'écris, qui écrit ? D'où me vient l'inspiration, du dedans ou du dehors ? Elle vient à moi comme par enchantement, mais elle nécessite que je prenne le temps de l'écouter, et ensuite de la transcrire. Cette parole m'appartient, dans le sens où c'est à moi de lui donner la forme nécessaire pour qu'elle soit intelligible et cohérente, mais elle m'est donnée tel un cadeau que je reçois avec gratitude. De même me sont donnés des moments intenses de partage, des beautés à contempler, des émotions à échanger, des émerveillements à vivre.

Les anges, c'est cette meilleure part de nous qui s'exprime à travers chaque acte de notre quotidien. Ainsi le dit Jean-Yves Leloup : « Quand on fait appel à son ange, on fait appel à une qualité de conscience, d'intelligence plus vaste que la nôtre. L'ange, c'est le meilleur du meilleur de soi-même [1]. » Nos anges sont là pour nous guider et nous permettre d'aller plus loin, toujours plus loin que là où nous pensions aller. Ils nous font accéder à plus de lucidité, à plus de joie, à plus de liberté.

---

1. Jean-Yves Leloup, *Un art de l'attention*, Albin Michel, 2002.

Ils nous ouvrent à la lumière et à la beauté de l'univers, afin que nous mettions en lumière notre propre beauté.

Pour atteindre cette lumière, il faut nous libérer de tout ce qui leur fait de l'ombre. Nos démons nous interdisent leur accès : nos peurs, notre manque de confiance en nous-mêmes et, par conséquent, dans les autres, dans la vie. Nous ne pouvons nous ouvrir à la parole de l'ange, apprendre à l'écouter si nous restons enfermés dans le doute et l'incrédulité. Comme on ne peut rien entendre des douceurs et des conseils qu'il nous murmure dans le tumulte et le brouhaha de nos pensées désordonnées. C'est dans le silence de nos âmes accordées, dans la certitude d'un acte qu'il nous faut accomplir, dans la beauté du geste le plus juste que nous rencontrons sa présence.

Nos anges nous accompagnent. Soyons à leur écoute. Accueillons-les, partout où ils se présentent, quelle que soit leur façon de se présenter à nous, quand il leur plaira, comme il leur plaira. Faisons-leur l'honneur d'être là, et non l'affront de les ignorer, quand ils ont la générosité et la délicatesse de nous faire des signes. Ne les attendons pas ; allons simplement à leur rencontre. Soyons toujours prêts à leur sourire et à les remercier d'avoir pensé à nous.

Écrire sur la musique des anges me demande d'être dans la profondeur de mon silence intérieur, afin d'être réceptive au moindre souffle me signifiant leur présence. La musique des anges est celle, si subtile, de leurs battements d'ailes, mouvement infime qui fait battre le cœur de l'univers, qui donne vie à ces arbres qui me font face et dont les extrémités dansent, si délicatement, au gré du vent.

La musique des anges, c'est mon regard qui s'éveille à tout ce que je n'aurais su voir auparavant, comme cet insecte qui s'apparente à une libellule resté toute la nuit près de ma tête et qui à l'instant où je m'approche de lui ne bouge pas, tranquille au point d'éveiller en moi un sentiment de confiance. Je remarque alors la fragilité de ses pattes, mais surtout, cette fine et longue antenne dressée sur sa tête, magnifique démonstration d'une verticalité pointée vers le ciel.

Maintenant que je prends le temps nécessaire pour la contempler, la nature me parle. Elle explose sous mon regard : d'un paysage au premier abord aride se détachent d'innombrables petites ailes de lumière. Jamais la nature n'a été aussi vivante. La plus petite de ses manifestations nous fait signe d'en haut, d'un ailleurs si proche qu'il suffit d'ouvrir les yeux pour le contempler. D'ouvrir les oreilles pour l'entendre chuchoter.

Nous rejoignons l'art de la Kabbale défini par Marc-Alain Ouaknin[1] comme : « un art de l'écoute des voix qui viennent d'ailleurs, de la grande sym-

---

1. Marc-Alain Ouaknin, *Mystères de la Kabbale*, Assouline, 2000.

phonie des sphères célestes à l'humble prière des herbes mouillées et des arbres du chemin, en passant par le rythme des cœurs, discrètes sonates de la tendresse et de l'amour. [...] Cette musique est aussi lumière intérieure : c'est le fait de recevoir ou d'atteindre la lumière de l'infini. [...]

La Kabbale s'adresse à l'homme et lui chuchote à l'oreille :

"Si tu veux, tu le pourras,

Fils de l'homme, regarde !

Contemple la lumière de la présence qui réside dans tout l'existant !

Contemple la force joyeuse de la vie des mondes d'en haut ! [...]

Ressens les vibrations de la Source de la vie qui est au plus profond de toi et au-dessus de toi et tout autour de toi.

L'amour qui brûle en toi, fais-le monter vers sa racine puissante,

Étends-le à toute l'âme de tous les mondes.

Regarde les lumières...

Regarde à l'intérieur des lumières...

Monte et monte

Car tu possèdes une force puissante.

Tu as des ailes de vent, de nobles ailes d'aigle...

Ne les renie pas de peur qu'elles te renient.

Recherche-les et immédiatement elles te trouveront..." »

(BAAL HAOROT, *Le Maître des lumières,*
Orot Hadoqodèch, 1, 64)

LÂCHER SES DÉMONS

Tu n'oublieras jamais de te reposer.
De permettre à tes idées, tes pensées,
Tes réflexions de se poser.
De prendre leur place, tout doucement.
Tu n'as rien à faire, sinon laisser faire.
Faire confiance à ce qui « se fait »,
En dehors de ta volonté.
Ne t'en fais pas.

FAIRE SILENCE

Tu accorderas du temps au silence,
Tu ne te laisseras plus envahir par le bruit
    Assourdissant de ton âme en souffrance.
Tu poseras les armes de ta lutte intérieure
Pour trouver en toi, par toi, avec toi
La paix si nécessaire à ton cœur.

« Voir me coûte d'ouvrir les yeux à tout ce que je ne voudrais pas voir. » À la suite de Porchia, dans son livre *Voix*[1], on pourrait dire qu'entendre me coûte d'ouvrir mes oreilles à tout ce que je n'ai pas envie d'entendre. À tout ce qu'il me faudrait entendre cependant si je veux comprendre, accepter, dépasser un mal qui m'occupe et me détruit. Si je ne cesse de fermer les oreilles à ce qui me dérange, en premier lieu ce qui en moi n'est pas en paix, je ne peux faire le premier pas nécessaire à mon évolution : reconnaître les démons qui m'empêchent de vivre.

Il me faut être face à moi-même, en silence, en solitude, en retrait du monde si nécessaire, pour voir apparaître mes ombres. Dans le silence, plus rien ne vient me distraire de mon silence intérieur et je peux être à l'écoute de ces voix, paroles, pensées qui, tels des fantômes, se promènent en liberté quand la demeure est vide. Je suis alors confronté à un monde intérieur encore plus étranger que celui

1. Porchia, *Voix*, éd. Sables, 1996.

qui m'entoure et je découvre une part de moi encore inconnue. Cette part d'inconnu qu'il me faut connaître pour mieux me connaître.

Mais bien souvent, j'ai peur : j'allume la lumière et je fais entrer la vie avec ses bruits assourdissants. La vie du dehors m'évite toute confrontation avec la mienne. Je fuis ainsi toute opportunité d'être face à face avec cette personne que j'ignore et qui n'est autre que moi-même. Je me ferme à ce qui pourrait déranger mon existence, l'idée que je me fais de l'existence. Je me refuse à laisser entrer dans mon esprit tout ce qui pourrait le perturber. Je fais taire, en refusant de l'entendre, ma voix intérieure.

« Le silence, pour moi, c'est la mort. » Il suffit d'évoluer dans le monde pour constater que l'association de ces deux mots, le silence et la mort, doit être communément partagée tant le bruit est là, permanent, omniprésent. La ville, bientôt la nature, sont envahies par la musique des hommes, des sons les plus mélodieux aux plus terrifiants, des notes émises naturellement à celles créées artificiellement. L'homme a besoin de compagnie : il s'entoure de bruits.

Il se sent rassuré par les bruits de la cité, comme un intermédiaire entre lui et le monde ; *a contrario*, le silence de la nature l'inquiète. Il est devenu difficile de se promener, ou de se poser, sans que notre oreille ait à subir un rythme saccadé, une pulsation qui se superpose à celle de notre pensée, une vibration qui nous empêche de penser. « Vivre » serait alors pour beaucoup ne plus penser, l'oreille trop occupée pour entendre autre chose que ce qui leur est imposé.

Vivre serait ne plus penser car l'on n'entend plus rien, ou ne plus entendre car on ne veut plus penser ? Penser à quoi ? À soi ? À ses problèmes, à ses douleurs ? À tout ce qui ne trouve pas de réponse immédiate et qu'il est préférable de reléguer bien loin, là où on ne va que rarement, quand le besoin est tel qu'on n'a plus d'autre choix que de s'y rendre. Une chose est certaine, maintenant, ce n'est pas le moment.

« Maintenant, je veux vivre, m'amuser, tout oublier. » À vouloir tout oublier, c'est soi-même que l'on finit par mettre de côté. On se perd de vue et on se sent de plus en plus loin de soi ; certains ont même la sensation qu'ils n'ont plus de vie intérieure. Ils ont perdu tout contact avec leur propre univers, n'ont plus conscience de sa richesse, ni même de son existence. Comment alors se retrouver avec soi ?

« Mon monde intérieur, il m'ennuie. » Ce face-à-face avec soi, combien le fuient ? Ils ne voient pas qu'ils se fuient eux-mêmes. L'idée d'avoir à penser à soi, à être avec soi, est de l'ordre de l'impensable. Instinctivement, le choix se fait de ne jamais être seuls, d'avoir l'esprit envahi de sons et d'images venus d'« ailleurs », de sons et d'images le plus distrayants possible afin d'éviter de « se prendre la tête ». Pour se vider la tête, on la remplit sans cesse.

Ce système, illogique à l'extrême, fonctionne un temps. On se repose d'avoir la tête si pleine de bruits qu'elle est vide de pensées. Jusqu'au jour où cette tête vide ou pleine, à moitié vide, à moitié pleine, selon l'humeur du moment, est « près d'éclater ». D'exploser d'un trop-plein de tout et de rien, de rien tant ce tout ne signifie plus rien. L'excès de décibels, ce tintamarre permanent, les discours sans queue ni tête épuisent plus qu'ils ne calment. L'effet calmant, avec le temps, s'est épuisé.

« Mes nerfs lâchent, mon moral est au plus bas, mon corps ne répond plus. » La fuite en avant n'est plus possible : on ne peut plus avancer. Alors, que faire ? Prendre des « calmants » – ces médicaments qui en portent le nom –, passer ses nerfs sur son entourage, proche ou moins proche, ou bien finir, à bout de ressource, quand il n'y a plus d'échappatoire à la folie des hommes, par hurler sa douleur d'être au monde, d'être dans ce monde. La parole s'affole, qui peut aller jusqu'au délire. Ou bien encore on ne voit plus d'alternative que de se taire, dans l'impuissance à communiquer, à parler vrai, à se faire entendre. Le retrait et l'enfermement deviennent la seule réponse au tumulte du monde, le seul pansement aux maux du cœur.

Ceux qui font une dépression, bien souvent, ne comprennent pas pourquoi. Non que les raisons de « déprimer » manquent. Qui n'en aurait aucune ? La simple peur de ce qui pourrait arriver en serait une. « Mais pourquoi maintenant, brutalement, comme ça ? Et pourquoi moi ? » La souffrance, proportionnelle à la violence, non seulement de ce qu'ils subissent, mais se font subir par la négation de cette souffrance, les réduit à néant. Ils restent sans voix.

Ils n'ont rien vu venir. Et pour cause, ils n'ont rien voulu entendre de leurs difficultés à vivre, à être ; ils se sont crus plus forts que leurs faiblesses. La douleur les a rattrapés. La vie aussi. Elle les a cloués au sol, les a contraints à la position horizontale, dans un lit, parfois même à l'hôpital. « Maintenant, ça suffit ; on arrête tout. On se pose. » Silence.

La vie a fait silence. Elle a réclamé ses droits à la mort qui envahissait l'âme, et le corps. La vie a permis cet arrêt avant la mort. Elle a donné un sursis ; il n'est pas encore trop tard. Où allons-nous ? Pourquoi en sommes-nous arrivés là ? Que n'avons-nous pas su voir, pu comprendre, voulu entendre ? Aurions-nous pu agir, réagir avant de parvenir à un tel état d'anéantissement ? Maintenant, nous ne pouvons plus rien faire si ce n'est nous écouter. Écouter les chagrins enfouis au fond de notre cœur.

Les larmes coulent, le cri sort qui nous déchirait, nous muselait et nous enfermait depuis si longtemps. Ce sont des larmes qui viennent d'un temps que nous ignorons. C'est pourquoi nous voulions les arrêter : tout faire pour qu'elles ne soient pas visibles au grand jour, dans la réalité de notre vie, dans la réalité de la vie que nous donnons à voir.

Le flot est trop fort, on ne peut y faire face. « Je n'ai pas le choix », dit-on souvent.

Nous avons le choix, mais ne le savons pas. De voir et d'entendre, d'ouvrir grand les yeux et les oreilles, de rester lucides sur ce que nous éprouvons. Nous avons le choix de ne pas nier nos émotions, ni de les réduire au silence. En refusant de s'écouter, on est dans le déni de soi et de sa vie. On s'éloigne de l'essentiel : on se perd, et on se sent perdu. Revenons à nous-mêmes, à l'unique que nous sommes. Reprenons des droits sur notre vie ; elle n'appartient qu'à nous.

Et regardons-la. Prenons-nous le temps de nous reposer ? Quand un chagrin nous frappe, nous ne voulons rien laisser voir de notre détresse, nous bousculons les apparences, nous nous forçons à tromper l'ennemi. L'ennemi, c'est l'autre qui nous regarde et pourrait nous juger. Mais c'est surtout nous-mêmes qui jugeons cette part de nous, cet « autre » en nous prêt à laisser éclater sa douleur. Non, il ne m'aura pas, pensons-nous, et nous avons bien raison, nous devons lutter contre lui, contre tout ce qui menace de nous détruire ; qui aurait le désir de se laisser envahir par la tristesse ? Mais ne savons-nous pas qu'en niant le mal, en le faisant taire tant nous n'avons plus envie d'en entendre parler, nous le maintenons présent dans nos pensées et l'installons à demeure dans notre quotidien ? Si au contraire nous reconnaissons notre douleur, elle partira.

Quand nous vivons un deuil – après la disparition d'un être cher, une séparation, la perte d'un travail, d'un projet qui nous tenait à cœur –, au lieu de mettre toutes nos forces à lutter contre la souffrance et faire croire à une apparente insouciance, pleurons, pleurons tout notre saoul si nous en ressentons le besoin. Le temps que nous croyons gagner sur nos larmes, nous le perdons sur notre vie. Il ne s'agit pas d'éprouver du plaisir à se lamenter et à raviver ses blessures. Mais quand on se refuse à vivre sa douleur, on ajoute à sa peine par le fait de retenir ses pleurs. On ne laisse pas couler, s'écouler, le trop-plein de chagrin qui étouffe notre cœur. Et on met tant d'énergie à refouler ses larmes, à contenir ses mots, que l'on se vide de ses forces. En acceptant d'être tristes, on se libère peu à peu de cette tristesse qui met un frein à notre vie.

Ce temps nécessaire pour nous délivrer de notre chagrin, prenons-le. Pour nous, notre santé, notre survie. Volons-le, s'il le faut, aux attentes, aux exigences de notre entourage. Imposons-le à ceux qui opposent à nos maux une forme d'indifférence. Une indifférence qui n'est pas le fait d'une absence d'amour, mais d'une difficulté à bien nous entendre. Nous pouvons être « très entourés », accompagnés par la présence de ceux qui nous aiment ; mais parmi ceux qui croient nous comprendre, peu ont véritablement conscience de ce que nous vivons. Peu ont l'art de la consolation, du mot qui calme et du geste qui rassure. Il ne faut pas leur en vouloir, ils sont incapables de s'apporter à eux-mêmes le moindre secours, comment seraient-ils pour nous de quelque recours ? Nous pouvons trouver pour nous-mêmes les mots qui nous guérissent.

Pour nous aider à trouver les mots qui nous font du bien, accueillons un temps notre douleur. Laissons-la vivre et exprimer ce que nous ne savons pas dire avec des mots : donnons-lui la parole. Alors il se peut qu'elle s'en aille, tout doucement, ayant eu le temps et l'espace dont elle avait besoin pour se libérer. Si elle persiste, écoutons ce qu'elle a à nous dire : pourquoi une telle intensité, voire une telle violence dans son expression ? Qu'avons-nous vécu, vu, entendu qui l'ait éveillée, ou réveillée – même quand elle dort, elle n'est pas loin ? Si nous l'écoutons, nous apprenons peu à peu à mieux la connaître ; alors pouvons-nous lui répondre. Trouver les mots susceptibles de l'apaiser.

Le temps nécessaire pour qu'elle cesse, nous l'ignorons ; il faut être patients. La société, les autres, il est vrai, ne laissent guère le temps de revenir sur ce qui est perdu, ou ce que l'on croit perdu. Les retours en arrière incessants sur ce qui nous a fait souffrir et nous fait encore souffrir ne vont pas dans le sens, au moins en apparence, de ce qui nous permettrait d'avancer. Or dénouer les fils de notre histoire nous fait progresser. Le passé ne devient passé que s'il est dépassé, digéré, assimilé.

Chaque événement du quotidien a quelque chose à nous apprendre : toute expérience heureuse ou douloureuse est riche d'enseignement. Mais pour extraire cette richesse, il faut du temps, du calme et du silence. Ce temps peut être enrichi de l'expérience et de la parole d'un autre, de sa présence, de sa chaleur, de son amour. Mais c'est dans le silence de son temple intérieur que chacun pourra se poser les vraies questions et chercher à y répondre. L'écoute d'un autre est là pour nous permettre de mieux nous écouter.

Dans l'épreuve que nous traversons, nous sommes seuls à connaître les raisons profondes qui ont pu nous mener là où nous sommes. Nous le savons parfois sans avoir conscience que nous le savons. Et, bien entendu, sans mesurer ce que nous savons. Une fois passée la vague de la désespérance, on comprend qu'il nous fallait vivre ce que nous avons vécu ; on prend conscience de ce que l'on venait y chercher. « Il n'est jamais de problème qui n'ait un cadeau pour toi entre ses mains. Tu cherches des problèmes parce que tu as besoin de leurs cadeaux[1]. »

Dans toutes les difficultés relationnelles que nous rencontrons, amoureuses, amicales, familiales, professionnelles, des situations conflictuelles se répètent. La répétition est là pour dire et redire les mêmes choses, de plus en plus fort afin que nous puissions enfin les entendre. Il se peut que nous ayons perçu dans notre entourage familial des

1. Richard Bach, *Illusions, le Messie récalcitrant*, Flammarion, 1978 ; J'ai lu, 2000.

secrets inavoués, des secrets dont nous n'avons pas eu le droit de parler. La répétition nous permet alors d'entendre au-delà de ce qui est dit : entendre ce qui n'a pas été dit. À condition que nous prêtions l'oreille au silence.

Mais plus la vie donne matière à réflexion, plus nous trouvons prétexte à nous évader de notre réalité : une réalité qui nous dérange et que nous vivons comme une prison. Plus nous nous sentons dépassés par ce qui nous est donné – ou ce que nous nous sommes donné à vivre –, plus nous redoutons le face-à-face avec nous-mêmes. On s'éloigne de soi, d'un monde devenu synonyme de douleur et de complexité. Il faut faire un effort pour revenir à soi-même.

Un amour malheureux, et combien d'hommes et de femmes courent vers d'autres aventures panser leurs blessures, se réconforter dans d'autres bras, entendre des « je t'aime » qui puissent les guérir, le croient-ils, du traumatisme qu'ils viennent de vivre ? Ils se réfugient dans un nouvel espoir, se racontent une nouvelle histoire. D'attente en attente, de déception en déception, où vont-ils ? Ils ne peuvent vivre, pensent-ils, sans la présence d'un autre. Mais c'est avec eux-mêmes qu'ils ne savent pas vivre. Qui n'est pas bien en sa propre compagnie se sent toujours seul. Tandis que celui ou celle qui ne craint pas la solitude n'est jamais seul.

Si on prend l'habitude de s'accorder des espaces et des temps de silence, on découvre une solitude riche et féconde : celle qui nous apporte la paix et le calme propices à une plus juste écoute de soi, à une plus claire appréciation de ce que nous vivons, de ce que nous ressentons. Dans la sérénité, les idées retrouvent leur clarté et chaque chose reprend sa place. Ce temps pour se poser, laisser se poser les difficultés même les plus anodines de son quotidien, permet d'être chaque jour davantage dans ce qui est l'accomplissement de sa vie, dans la plénitude de chaque acte. On connaît alors, après l'épuisement de la dispersion, la force de la concentration.

Concentrés sur l'instant à vivre, nous reconnaissons l'existence de nos émotions et nous les accueillons, sans nous appesantir sur leur présence. Sans donner trop d'importance à des sentiments tels que la rage et la colère, sans éprouver de plaisir – un malin plaisir – à les alimenter des moindres faits et dires d'autrui. Nous ne rentrons plus dans nos frustrations et nos manques : nous ne les laissons pas nous envahir. Au contraire, nous cherchons à les apaiser. Si nous avons trouvé en nous le calme et la sérénité.

Faire le calme en soi. Depuis des millénaires, des civilisations enseignent la pratique au quotidien de la méditation. Dans notre société, beaucoup sont à la recherche de pratiques qui leur permettent de trouver les conditions nécessaires à la tranquillité de leur esprit. En réaction aux bruits de l'environnement, mais également aux tumultes de l'âme, il est essentiel de se ressourcer dans des lieux de silence. De faire silence.

Faire silence, c'est voir du dedans son monde intérieur, entendre les silences de son cœur, les silences entre les mots, ce qui ne se dit jamais ou que l'on ne prend pas le temps d'entendre. C'est faire le vide des émotions invalidantes pour laisser la place à une écoute de plus en plus fine et subtile, l'écoute de sa musique intérieure. C'est écouter son âme, la musique de l'âme.

Ainsi parle une musicienne : « Chaque fois que je m'unifie au silence, j'entends la musique qui habite mon âme. Cette musique intérieure donne ensuite à l'interprète une qualité de son, une qualité de vibration qui ne peut s'apprendre. Le son de l'âme ne s'enseigne pas car il abolit toutes les limites de la matière, tous les intermédiaires de la technique, et met l'interprète en prise directe, en unité avec la création universelle [1]. »

Faire silence, c'est retrouver un temps hors du temps, un sentiment d'éternité. Être à l'écoute de soi pour mieux être à l'écoute du monde qui nous entoure. Si nous laissons le silence nous pénétrer jusqu'à ce que toute notre personne – per-sonne : le son passe à travers – soit silence, chaque cellule de notre corps entre en résonance avec la vie – cette multitude de vies – qui est celle de l'univers. La vie nous traverse et nous habite : la vie dont nous faisons partie et qui

1. Monique Deschaussées, Erik Pigani, *Musique et spiritualité*, Dervy-livres, 1996.

fait partie de nous. À la profondeur de notre silence intérieur fait écho un espace infini.

Faire silence, c'est faire taire peu à peu ses douleurs, ses hurlements intérieurs. Ce n'est pas le vacarme environnant qui fera taire nos peurs, ni nos colères. Ce n'est pas une apparente agitation qui nous permettra de trouver la paix en notre cœur. Ce n'est pas en tournant le dos à notre désespoir que nous pourrons faire face à notre vie et retrouver à nouveau espoir.

C'est en prenant le temps, ne serait-ce qu'un instant, chaque jour, de retrouver son calme et de reprendre sa respiration, que chacun peut écouter ses aspirations profondes et faire les choix qui lui sont de mieux en mieux adaptés. Le silence est le préalable à la création de soi.

« Le silence est la condition de la musique. Il permet la méditation, l'acceptation de l'univers par l'être qui le contemple. Sans un silence préalable, il n'y a pas de musique. J'ai toujours pensé que la première mélodie du monde a dû s'élever dans la pénombre du soir, sur un lac où il n'y avait pas un souffle de vent[1]. »

---

1. Yehudi Menuhin, *L'Âme et l'Archet*, Alice éditions, 2001.

APPRIVOISER SES PEURS

Arrête de fuir ton ombre,
Tu sais très bien que partout où tu iras,
Elle te suivra.
Cesse de te craindre toi-même,
Car en t'éloignant de toi
Tu fuis qui tu es.

« J'ai peur de tout ; j'ai toutes les peurs. Et elles me paralysent. Je me souviens de mes terreurs d'enfant où le moindre mouvement était une mise en danger : je demeurais dans mon lit, immobile. Pour rester en vie, je faisais le mort : surtout ne rien faire qui puisse alerter l'ennemi. » Un ennemi imaginaire mais une peur bien réelle, si réelle qu'elle prend toute la place. Elle s'impose comme une menace qui ne porte pas de nom – on ne sait ni d'où elle vient ni quand elle peut nous atteindre –, mais on l'attend et on la craint. Et si vivre c'est avoir peur, on ne peut plus vivre. On a trop peur de vivre.

Pourquoi cette peur irrationnelle ? Cette peur d'un danger que l'on ignore et qui prend la forme de tous les dangers. Tout ce que l'on voit et entend est prétexte à s'effrayer, sujet d'inquiétude. La moindre parole, un geste anodin peuvent réveiller nos craintes ; il n'y a plus d'espace où respirer. Même les nuits sont visitées : les fantômes ne dorment pas. S'ils ont le pouvoir de nous nuire, eux-mêmes ont la vie longue. Où est l'issue ? On ne la voit pas.

« C'est l'horreur, le chaos dans ma tête. Tout est cri. Je m'affole. Quel est ce monstre à l'intérieur de moi qui me pourchasse, sans relâche ? » D'où vient un tel sentiment de panique qu'aucune pensée ne puisse nous rassurer, aucun acte nous calmer ? Quel drame avons-nous vécu qui a laissé une telle empreinte dans notre chair ? S'agit-il d'un souvenir ancien qui continue à hanter nos jours et nos nuits ? Notre père, notre mère, leurs pères, leurs mères nous ont-ils transmis leurs cris, donné à vivre leur peine et font-ils couler dans nos yeux les larmes qu'eux-mêmes ont retenues ? Notre cœur est prisonnier de cette souffrance qu'il garde en secret. Et il ne peut aimer tant l'anxiété ne le laisse pas libre de penser : de penser autrement qu'en termes de danger.

« Quand j'aime, j'ai toujours peur pour celui que j'aime. Je suis terrifiée à l'idée de le perdre : qu'il vienne à disparaître ou que, de son plein gré, il décide de me quitter. » « Quand je suis amoureux, j'ai peur de ne pas être à la hauteur, mais j'ai aussi peur que cette femme ne soit pas celle qui me convient. Je crains à la fois de ne pouvoir lui plaire et de la voir trop s'attacher à moi. » Combien rêvent de l'amour quand la solitude vient à peser et, quand ils aiment, voudraient retrouver la tranquillité d'esprit qu'ils ont perdue. La peur induit le doute – celui de rendre l'autre heureux et de pouvoir l'être soi-même – et le doute, à son tour, amplifie la peur. Toute situation est devenue invivable.

Dans cet état d'« intranquillité de l'âme », selon l'expression de Pessoa, on ne sait de quelle fenêtre approcher qui laisse entrevoir un coin de ciel bleu. Où trouver cette paix si naturelle aux autres mais si étrangère à notre histoire ? On aimerait tant se poser un instant, là où la vie se fait simple et douce. « La vie me semble si dure ; alors que rien ne justifie une telle souffrance. Il me faut être seul pour cacher mon malheur ; mais que faire d'une solitude qui ne fait qu'accroître ma douleur ? »

Le monde est cruel pour ceux qui sont envahis d'un sentiment d'angoisse, cette « peur sans objet ». Même les plus proches ne peuvent comprendre l'obscurité dans laquelle ils se débattent. Ils sont « fous » dans une société « normale » où chacun semble trouver son bonheur. Celui qui a perdu sa tranquillité croit avoir perdu à jamais sa capacité d'être heureux.

« Là où les gens se réjouissent, moi, je vois toujours le pire. » L'inquiétude peut s'expliquer par la réalité d'une épreuve à traverser. Mais elle surgit aussi là où on ne l'attend pas. La vie de certains est envahie par des visions dramatiques. Ils ne cessent de « voir » des accidents, des maladies, des drames qui les touchent, eux et ceux qu'ils aiment. Chez eux ou en voyage, l'image d'une catastrophe traverse leur esprit et s'impose à eux. Une autre vie se superpose à celle qu'ils sont en train de vivre : un cauchemar éveillé qui prend le pas sur la réalité. Ils sont à la fois les auteurs et les acteurs de ce drame imaginaire. Ils savent que « ce n'est pas vrai », mais l'émotion est si intense qu'ils restent imprégnés de la violence de leur propre imagination. Peut-on trouver du « bien » à se faire ainsi du mal ?

Être face à une réalité tragique, ne serait-ce qu'en pensée, semble être pour certains moins douloureux à vivre que de craindre d'y être un jour confrontés. Comme s'ils ne pouvaient calmer leurs peurs autrement qu'en se les représentant. « J'ai mal avant d'avoir mal, je souffre à l'avance de ce que je ne cesse de redouter. Rien que d'y penser, le malheur est là. Mais n'est-ce pas parce qu'il y a du malheur en moi que je ne cesse d'y penser ? » Imaginer le danger quand rien ne le laisse soupçonner met en situation d'« être » dans le malheur, même dans les circonstances les plus heureuses de sa vie.

Ce malheur, d'où vient-il ? Appartient-il à l'histoire, à la réalité du quotidien, au monde de l'imaginaire ? « Je ne peux accepter d'être à l'origine de tant de souffrances. » Celui qui souffre, non seulement a mal, mais il se sent coupable d'avoir mal ; sa culpabilité s'ajoute à sa souffrance. Sortira-t-il un jour de ce cercle infernal : il se sent mal parce qu'il est coupable et il se sent coupable parce qu'il a mal ? Il en sortira quand il aura compris l'origine de sa culpabilité.

Ceux qui imaginent des drames ont des drames réels dans la tête ; mais surtout une profonde culpabilité en relation avec ces drames. Des enfants qui ont assisté à la mort de leur petite sœur ou petit frère se sentent coupables de n'avoir rien fait pour maintenir l'autre en vie, et coupables de continuer à vivre quand l'autre ne vit plus. De plus, l'autre « n'étant plus là », ils n'ont plus à partager avec lui l'amour des parents : ils prennent toute la place, ils prennent « sa » place. Mais le fantôme de celui qui n'est plus, lui, ne cesse d'exister.

Par conséquent, ils continuent à lutter toute leur vie contre celui ou celle qui, tel un « revenant », est susceptible de leur prendre cette place qu'ils ont un jour usurpée. La difficulté étant qu'ils ne peuvent perdre cette place – ils auraient la sensation de ne plus exister – mais ne peuvent davantage la gagner – ils seraient à nouveau coupables de prendre la place d'un autre. Si on est envahis par la culpabilité, on peut se battre pour obtenir ce que l'on désire ; mais une fois que nous l'avons, la culpabilité nous pousse à détruire, en pensée et même dans la réalité, le bonheur que l'on est parvenu à construire.

Certains ont perdu leur père ou leur mère dans des circonstances tragiques. Ils étaient parfois trop jeunes pour se souvenir d'une souffrance liée à cette absence. Mais ils souffrent d'une culpabilité en relation avec cette disparition. Une jeune femme a fait une dépression à l'âge où sa mère était morte, sans faire le lien tant elle pensait « être si jeune et l'avoir si peu connue qu'elle en avait oublié l'événement ». Elle avait perdu le goût de vivre et souffrait dans son corps là où sa mère avait été atteinte lors de son accident. En prendre conscience lui a peu à peu redonné l'envie de vivre : elle « pouvait » vivre même si la vie de sa mère s'était brutalement interrompue, elle avait le droit d'être heureuse, même si elle avait cru comprendre que sa mère ne l'avait jamais été. Combien s'empêchent de vivre un bonheur que leurs parents n'ont pas vécu.

Les grands-parents ont aussi un rôle très important : des enfants peuvent faire des cauchemars à répétition en relation avec des drames que ces derniers ont eu à traverser : « Dans mes rêves, je continue à faire la guerre », « Ce matin, je me suis réveillée en sursaut : on allait m'enfermer dans un camp ». On poursuit les batailles que les générations précédentes ont menées ; mais surtout celles qu'elles ont perdues. Les guerres, aussi bien que les maladies, les faillites, les maltraitances, les abandons, les trahisons. On s'interdit d'acquérir des biens, de jouir de bonheurs dont d'autres, avant nous, ont été privés.

Imaginer des drames, c'est souffrir avec tous ceux qui nous ont précédés : participer un peu de leurs douleurs, les partager, les prendre sur notre dos, comme si nous pouvions ainsi les soulager. Mais c'est aussi soulager notre propre conscience : si nous souffrons, nous aussi, nous ne sommes plus coupables. Nous avons, comme eux, notre part de douleur. Et « dans » la douleur, nous avons moins peur de souffrir. Lorsque l'on a rencontré l'objet de sa peur, on en est parfois libéré.

Notre peur, c'est bien souvent l'idée de la peur. La représentation que l'on se fait de tout ce qui peut nous arriver, la conviction d'un échec, d'une perte, d'un malheur de vivre auxquels nous ne pourrons survivre. Sa vie durant on se fait mal à craindre ce qui « pourrait » nous arriver. On anticipe le mal sans lui offrir la moindre réponse, on est déjà dans la douleur avant même d'avoir souffert.

Etty Hillesum, qui a tenu son journal alors qu'elle vivait l'horreur de la déportation, nous offre dans son livre une belle leçon d'espoir et de vie : « Le grand obstacle, écrit-elle, c'est toujours la représentation et non la réalité [...] la représentation de la souffrance – qui n'est pas la souffrance, car celle-ci est féconde et peut vous rendre la vie précieuse – il faut la briser. Et en brisant ces représentations qui emprisonnent la vie derrière leurs grilles, on libère en soi-même la vie réelle, dans sa propre vie et dans celle de l'humanité[1]. »

Ce qui pèse lourd sur nos cœurs et nous empêche d'avancer, ce n'est pas tant les difficultés affrontées dans leur réalité que le poids de l'inquiétude. Si difficultés il y a, nous trouvons les ressources nécessaires pour les affronter. Face à un ennemi déclaré – la guerre, la maladie, un accident, un deuil – nous sommes dans l'obligation de nous

---

1. Etty Hillesum, *Une vie bouleversée*, Le Seuil, 1995.

battre, nous « prenons la réalité à notre charge et la hissons sur nos épaules[1] ». Nous gardons la tête haute et chaque instant est une victoire sur l'épreuve que nous traversons. Alors que la peur fait baisser les yeux et la tête. Pour ne pas voir les dangers qui pourraient survenir, on ne voit rien de ce qui est sur notre chemin.

Peut-être craignons-nous de revivre ce que nous avons déjà vécu ; mais notre peur est surtout celle de l'inconnu. On a peur de croiser sur notre route ce que l'on ne connaît pas : ce que nous nous sentons incapables d'affronter, pour la raison même que nous n'y avons jamais été confrontés. On contourne l'obstacle et, de fuite en fuite, on s'éloigne de son chemin de vie, on s'empêche de vivre. La souffrance que l'on aurait aimé éviter, on finit par la subir : l'obsession de la peur est pire que ce que l'on redoute.

On a si bien pris soin de sa peur que l'on n'a pas pris soin de soi. La peur envahit notre âme, notre esprit, notre cœur. Et ce à chacune de nos respirations. Pourquoi une telle souffrance ? Elle distille un poison qui fait mourir le beau et le bon sitôt que nous y avons goûté : à peine avalée, la bouchée est amère, à peine épousée la mariée est trop belle, à peine mis au monde, l'enfant peut disparaître. Comme si le bonheur, ce n'était pas pour nous ; comme si nous n'y avions pas droit. La peur, c'est souvent cela : se punir d'un bonheur que l'on ne

---

1. *Une vie bouleversée, op. cit.*

croit pas mériter. Quand la vie nous fait un cadeau, le plaisir n'est déjà plus de la partie. Nous laissons ainsi notre vie passer, sans la vivre.

Mais on ne va pas laisser la peur décider de notre vie : pour l'avoir trop écoutée, on n'a un jour que des regrets. Avant tout, on regrette cette peur que l'on a tant écoutée : on n'a rien fait de ce que l'on désirait. Nous avons laissé partir les occasions et la vie nous échapper. « Je n'ai pas su saisir ma chance ; cette femme m'aimait, moi aussi ; mais je l'ai perdue car je craignais de n'être pas prêt. » « J'ai eu l'opportunité de changer ma vie ; mais je ne m'en suis pas sentie capable. Alors, je suis restée là, dans cette relation et cette vie où je continue à souffrir. » Maintenant, on sait qu'il est des opportunités qu'il ne faut pas laisser s'envoler : nos peurs ne nous empêcheront plus de vivre. À condition dans un premier temps de les affronter.

Pour affronter ses peurs, déjà les voir. Ne plus craindre d'avoir peur, ne plus fuir ses démons. Certains se refusent à leur faire face : confrontés à l'obstacle, ils font un pas de côté. Ils semblent avoir adopté la démarche du crabe. Une façon comme une autre de se déplacer : de changer de place, de point de vue. Ils ne changent pas tant leur manière de regarder que ce qu'ils ont à regarder. Et ils espèrent ainsi que tout va s'arranger : par un petit pas de côté.

C'est tout le problème de la peur : on en a si peur que l'on ne cesse de chercher les solutions qui puissent nous permettre de l'éviter. Au lieu de marcher droit devant soi, on emprunte des chemins de plus en plus sinueux et compliqués, des trajectoires qui n'ont plus de sens que pour nous-mêmes. Et encore, il faut avoir un bon sens de l'orientation pour ne pas se perdre et bien vite ne plus savoir quel sens donner à ses actes. Où allons-nous ?

On va là où on peut. Pas là où on veut : ce serait trop dangereux. Là où on peut, où on se plaît à croire la route libre de toute menace, dégagée de ce qui pourrait venir troubler notre tranquillité. C'est bien naturel. Comme pour une tortue, de sortir lentement sa tête et de la tourner à droite et à gauche pour s'assurer que la voie est libre. Le goût de l'aventure envahit bien plus le champ de nos pensées que celui de nos actes. Sur le terrain, deux précautions valent mieux qu'une ; un homme averti, on le sait, en vaut deux. Mais un homme trop averti ne vaut plus rien du tout.

Si la vigilance est nécessaire, un excès de prudence interdit l'expérience ; et avec elle la connaissance. À ne jamais aller plus loin que ce que l'on craint, comment parvenir un jour à dépasser nos peurs ? Mais ce n'est pas une question de volonté. Il est des situations où notre corps nous empêche d'aller de l'avant : il s'immobilise et met un frein à nos élans. Face à une pente trop raide, la panique interdit le moindre mouvement. Dans un avion, un ascenseur, parfois une voiture, on éprouve le besoin impératif de « sortir » : échapper à un enfermement qui met notre vie en péril. Et il est des gestes à effectuer, des paroles à prononcer qui ne dépassent pas le seuil de l'intention : « Ce n'est pas que je ne veux pas, je ne peux pas lui parler. Les mots restent coincés dans ma gorge. » On sait que l'on ne risque rien à faire ce que l'on veut faire ; bien au contraire. Mais « c'est plus fort que moi ». On est prisonnier de ses peurs.

Les peurs se font le plus souvent connaître par ce que l'on s'interdit d'être et de vivre. On ne peut faire un pas de plus dans la direction qui est cependant celle de notre désir. « Je suis interdit de jouissance », dit un homme qui se souvient qu'enfant, lorsqu'il nageait, il lui fallait s'arrêter, là où il n'avait plus pied. Quand il aurait pu découvrir le plaisir de s'aventurer plus au large, il lui fallait revenir. Chacun se crée une frontière invisible, au-delà de laquelle le plaisir lui est interdit. Comme s'il était en pays étranger : livré à lui-même, égaré dans un monde hostile dont il ne connaît plus les lois ni les usages. Le monde du plaisir nous est-il interdit ; ou bien est-ce nous qui nous l'interdisons ?

Avons-nous, comme Don Juan, une statue du Commandeur qui nous met au défi de la combattre ? Nous ne possédons ni ses audaces, ni son manque total de scrupules ; mais chacun sait pour lui-même là où il lui faudrait avoir parfois plus d'audace et moins de scrupules. Chacun connaît la force de ses propres interdits : là où « la loi du père » oppose à ses désirs un refus implacable : qu'elle se fasse entendre à travers une autorité réelle ou qu'elle soit intériorisée. La loi du père peut venir de la mère, d'un père de substitution ou de la société : elle est ce devoir qui nous a été inculqué, en même temps que l'amour nous était donné. L'un et l'autre sont inséparables. C'est pourquoi nous avons tant de difficultés à devenir libres : se libérer de nos interdits serait perdre l'amour.

Nos peurs ont pour cette raison un grand pouvoir sur nous-mêmes. Une part de nous veut agir tandis que l'autre l'en empêche, comme si nous portions en nous un être démoniaque qui nous manipule comme des marionnettes et nous transforme en tyran pour nous-mêmes : il nous effraie d'autant plus que nous ne savons comment le maîtriser. Ce que nous finissons par redouter plus que tout, c'est nous.

Nous avons beau lutter contre notre peur, elle a des visages si multiples que sitôt apprivoisée une de ses manifestations, une autre nous met au défi de la combattre. On se croyait délivrés, voilà que l'on est à nouveau confrontés à nos limites : la peur est une bête coriace. Elle ne cède pas facilement : *quelque chose* en amont ne veut pas lâcher. Quand on corrige sur son corps une mauvaise posture – une « déformation » à laquelle notre corps s'était habitué – il réagit par une autre tension : comme s'il était inquiet de cette soudaine libération. Que va-t-il faire maintenant d'une liberté qu'il ignorait ? Dès lors que notre horizon s'élargit, nous retournons à l'abri de notre nid douillet. Il est bon de penser sa liberté. La vivre : une autre histoire.

Petit à petit... l'oiseau s'envole de son nid. Les oiseaux ne reviennent pas dans le nid de « leurs parents ». Nous autres, humains, avons plus de difficultés à prendre notre envol : à quitter les lieux où nous nous sentons en sécurité. Certains commencent par lire des cartes et consulter les guides de voyage. Il leur faut pour s'aventurer plus avant prévoir parfois jusqu'au moindre détail de leur futur périple. Rien ne doit être laissé au hasard, celui-ci pouvant être source d'imprévu et l'imprévu source de contrariétés. Et pour éviter de prendre le risque d'être contrariés, d'autres en viennent à considérer que le meilleur moyen est encore de rester chez soi. Un soi de plus en plus limité et enfermé sur lui-même. Un soi qui s'interdit toute ouverture sur le monde, en général, et son prochain, en particulier. Un bien triste soi.

L'inconnu fait peur, c'est certain. Mais qui ne le laisse pas entrer dans sa vie n'a bientôt plus que lui-même à contempler. Fascinés par un miroir qui les renvoie toujours à leur propre image, beaucoup ne cessent de se regarder et ne voient que motifs à se déprécier. Ils contemplent avec passion « tout ce qui ne va pas », insistant avec délectation sur ce qui est leur manque à être, à vivre. Plus on se regarde, moins on s'aime.

Plus on se referme sur soi, moins on se voit, car celui que l'on voit n'est pas soi. C'est un moi malheureux d'être ce qu'il est, conscient de ses manques et tout autant de ses limites, confronté sans cesse à la difficulté de dépasser ses peurs et par conséquent de se dépasser. Comment s'apprécier soi-même si on ne se donne pas les moyens d'aller de l'avant, hors de ses propres sentiers battus, au-delà des freins que l'on s'impose ? Comment se regarder en face si l'on ne fait rien pour vivre au plus près de ce que l'on souhaite vivre ? Un peu de courage : c'est le premier pas qui compte.

Quel bonheur ensuite de s'être confrontés à ce qui faisait si peur et semble maintenant dérisoire. Nous sortons vainqueurs de notre petite histoire, seuls bien souvent à mesurer l'ampleur de nos actes. Mais qu'importe, nous avons remporté une victoire sur nous-mêmes, marqué un pas décisif ; sur ce point, désormais, nous ne retournerons plus en arrière. Tandis que celui ou celle qui se dérobe face à l'adversité et recule devant le moindre obstacle perd en même temps que l'estime de soi la force de combattre ses démons. Un pas en arrière en entraîne d'autres à sa suite et on assiste à l'accélération d'un processus de fuite qui, s'il a permis de s'écarter un temps d'un danger immédiat, met face à un autre danger plus grand encore : celui de la perte de soi.

« J'ai fait des choix contre moi. Je me suis toujours fait passer "après" : après ceux que je jugeais être plus importants que moi. En quoi l'étaient-ils ? Je ne sais pas, je ne sais plus. Mais je les ai préférés à moi-même. » On peut donner à d'autres le meilleur de sa vie, sacrifiant sa propre volonté à l'espoir d'être aimé. On se voit à travers leurs attentes, se perd dans leurs regards, se noie dans ce que l'on croit être une demande impérative et nécessaire pour qu'ils puissent nous aimer. « Ils », ceux dont on imagine qu'en les perdant nous n'existerons plus. Ceux à qui nous avons choisi de plaire plutôt que de faire ce qui nous plaisait. Ceux que nous aimions. Et dont il nous *fallait* être aimés.

Qu'en est-il de nos choix ? Nous le savons, plus nous avons peur de certaines situations, plus nous sommes condamnés à les vivre et les revivre : le seul fait d'y penser, c'est déjà les créer. « Je t'en supplie, ne me quitte pas », ne serait-ce que suggéré, a sur l'autre l'effet inverse à ce qui est espéré. « Quitter » pour l'autre devient de l'ordre du pensable, presque du prévisible. Et plus ou moins consciemment, il s'adapte à ce que l'on attend de lui – même si cela est exprimé en négatif. On induit chez l'autre la façon dont il nous traite.

« J'ai toujours peur que l'on m'oublie. Si je n'ai pas chaque jour la preuve répétitive d'un regard qui me fait exister, je suis envahie d'une profonde angoisse. » Cette jeune femme souffrait de n'avoir pas été attendue ; sa naissance n'était pas au programme. Ce n'est qu'une fois son frère jumeau né que l'on s'aperçoit de sa présence. Tandis qu'il rentre à la maison, elle est mise en couveuse où elle reste quelques semaines : un temps de retard, d'exil, d'exclusion. Et les prémices d'une peur qui jusqu'à maintenant ne la quitte pas : la peur qu'on ne la voie pas, que l'on tienne pour rien son existence. La peur d'être laissée, délaissée, négligée, abandonnée ; autant de synonymes du verbe « oublier ».

Pour elle, c'est toujours l'autre qui règne en maître dans l'espace qui doit être le sien. Prendre sa place revient à chasser l'autre de la sienne ; ou encore à tenter de se « faire une petite place » auprès de celui ou celle qui a si bien envahi sa vie qu'elle croit ne plus pouvoir vivre sans lui. L'attention douloureuse qu'elle porte aux autres est son effort permanent pour qu'on lui prête un peu d'attention. Elle en est là : à mendier de l'amour là où il lui serait acquis si elle voulait bien croire un tant soit peu en elle. Si elle pouvait voir l'amour qui lui est donné sans qu'elle n'ait rien à faire si ce n'est être elle-même : être ce qu'elle est.

Mais le doute est là, persistant, aveugle aux démonstrations d'amour, tenace malgré les marques d'amitié, les gestes de tendresse, les tentatives désespérées de qui voudrait la rassurer : « Je me sens si misérable. » Pour qui se sent « moins que rien », comment imaginer que l'on se soucie de lui ? Pour qui n'a pas été vu, ou si peu, n'a pas été entendu, ou si mal, comment penser qu'un jour cela puisse être autrement : que l'on puisse trouver du plaisir en sa compagnie et de l'intérêt à sa présence ? Si l'on est encombré d'un tel état d'esprit, l'autre se fait l'écho de sa propre maltraitance. Nos pensées entrent en résonance avec le monde extérieur.

La moindre attitude de rejet renvoie à ce « déjà vécu », la critique la plus banale est condamnation totale de son existence, la moindre mise à distance – ou qui est vécue comme telle – suscite une blessure d'amour-propre toujours prête à se réveiller. La distance, il y en a si peu, entre soi et l'autre, entre soi et soi : ceux qui ont été *trop* blessés manquent de recul vis-à-vis d'eux-mêmes. Pour eux, tout sujet est brûlant, la susceptibilité à fleur de peau, la réaction à la moindre réflexion démesurée. Car ils n'ont pas de demi-mesure, aucune souplesse, pas la moindre tolérance à ce qui ne rentre pas dans le cadre de leurs références : pour se sentir aimés, ils pensent que c'est ainsi, et pas autrement, que l'autre doit se comporter. Il en est qui ne considèrent jamais assez ce qui leur est donné.

Les parents ne donnent-ils jamais assez ou est-ce l'enfant qui ne peut se satisfaire de ce qu'il a ? Tout au long de notre existence, il est une question qui revient comme un leitmotiv : est-ce l'autre, par son comportement, qui est à l'origine de ma souffrance ou est-ce moi qui ne sais pas me faire aimer ? Suis-je en droit de me plaindre de ce qui ne m'est pas donné à vivre, ou ai-je le devoir de comprendre pourquoi ma vie ne correspond pas à ce que j'en attends ? En un mot : est-ce moi ou est-ce l'autre ?

Mes craintes sont-elles justifiées par un monde qui de toute évidence est injuste, cruel, effrayant, ou mes craintes sont-elles à l'origine de cette histoire injuste, cruelle, effrayante qui est devenue la mienne ? En quoi, et jusqu'à quel point, est-on responsable de sa vie ? Entre une position quelque peu paranoïaque – « c'est la faute des autres » – et une propension au sentiment de culpabilité – « tout est ma faute » –, il y a une quantité de regards plus nuancés sur la vie, notre vie. Et nous pouvons être à *la fois* conscients de notre responsabilité et de celle qui incombe à l'autre. Le regard sur l'autre n'exclut pas un regard sur soi ; d'autant que le regard sur l'autre renvoie au regard sur soi.

Il suffit de voir comment les autres se comportent avec nous pour avoir une idée de la manière dont on se voit : aimable, un peu, beaucoup... ou pas du tout. Sans cesse maltraités, nous ne nous jugeons pas dignes d'un autre traitement que celui qui nous est infligé. Si au contraire la vie nous gâte, nous avons sur nous un regard assez tendre pour attirer ceux qui nous veulent du bien. En vérité, tantôt nous sommes au meilleur de nous-mêmes, au faîte de nos capacités ; tantôt, nous sommes arrêtés dans nos élans par des interdits invisibles, empêchés d'exister là où il nous importe tant de nous faire aimer. Si nous pouvons, ne serait-ce qu'un temps, être roi ou reine, pourquoi ne le serions-nous pas à tout instant de notre vie ?

On se retrouve parfois à vivre des situations que d'autres ne rencontrent jamais, ou si peu ; inversement, nous voyons les autres entretenir des relations que « pour rien au monde, nous ne pourrions tolérer ». Chacun crée son histoire à la mesure de son besoin d'être aimé et de sa peur de ne jamais l'être assez. Nous créons ce que nous sommes capables de supporter, soit parce que nous le connaissons, soit parce que nous avons à le revivre pour le dépasser, soit encore parce qu'il nous importe davantage d'éviter nos peurs que d'aller au bout de nos désirs. Notre peur de vivre nous empêche de vivre. Le désir de vivre pourrait-il nous empêcher d'avoir peur ?

Le désir de vivre, il nous faut le cultiver, car parfois il vient à manquer. Au fur et à mesure que nous grandissons, s'installent les doutes, s'incarnent les peurs de ne pas être aimés : et le désir de vivre s'absente quand devient trop présent le mal d'être mal-aimé. Jamais certains de la place qui nous est accordée, comment nous accorder à nous-mêmes la place qui est celle de notre désir ? Si nous comprenons que ce qui nous est donné à vivre est ce que nous nous donnons à nous-mêmes l'opportunité de vivre, nous allons entretenir notre désir au lieu de le laisser s'amoindrir. Et ainsi le maintenir toujours vivant.

Mais si nous nous accrochons – le premier réflexe du bébé est le réflexe de préhension – au moindre geste d'amour qui nous est offert, notre vie dépend désormais de qui veut bien nous tendre la main. Ne va-t-il pas m'abandonner, me rejeter, me trahir, m'humilier ? Nous souffrons de cette impuissance à maîtriser un lien qui est pour nous source de vie ; et plus nous en sommes dépendants, plus nous craignons de le perdre. Mais plus nous craignons de le perdre, plus nous en sommes dépendants. Ne craignons plus de perdre l'amour : jamais plus il ne nous perdra.

Tout notre travail d'être humain, d'adulte en devenir, va consister à « lâcher prise », à nous permettre de devenir un jour autonomes : apprendre à « voler de nos propres ailes ». Nous allons prendre appui sur nos forces intérieures et non sur celles, toujours aléatoires, qui nous viennent du dehors. L'autre ne peut nous donner que ce que nous sommes prêts à recevoir, la vie nous apporter qu'à la mesure de notre ouverture.

« L'Erreur vient avec le manque de clarté,
Les événements nous troublent,
Non par ce qu'ils sont,
Mais par ce que nous en faisons[1]. »

---

1. Kakouan, *L'Art d'apprivoiser le buffle* (traduction et notes de Jean-Yves Leloup), Le Fennec, 1994.

TROUVER SON AUTONOMIE

Ta maison intérieure, tu habiteras
Dans la vérité de ton âme, tu vivras
À la lumière de ta nuit, tu t'éclaireras
À la loi de ton cœur, tu obéiras
Au plus profond de ton silence, tu chanteras
Et libre de toute entrave, tu danseras

« J'aimais et mon amour m'a quittée. Je lui avais donné mon cœur, ma vie, mon âme ; que donnerais-je maintenant pour ne plus l'aimer ? » Quand notre amour était tout, une fois qu'il n'est plus, que nous reste-t-il ? Il ne nous reste rien. À se demander, auparavant, si nous existions : ce qu'il en était de notre existence. N'étions-nous qu'un cœur en attente, un corps sans vie, une âme en détresse qui envoie des signaux désespérés à qui veut bien lui offrir un peu d'amour ? Juste un peu d'amour : de quoi réchauffer notre âme et guérir notre cœur esseulé. Juste un peu d'amour : était-ce trop demander que cela ne pouvait nous être accordé ?

Notre demeure est vide, désormais. L'autre aurait-il emporté tous les meubles, ou n'étaient-ils là que pour mieux le recevoir, cet étranger qui a pris toute la place et nous a rendus étrangers à nos propres lieux ? Nous n'avons jamais hésité à être là autant que notre amour le souhaitait et nous l'avons accompagné là où lui-même ne se risquait pas à aller. Est-ce cela aimer ? Peut-être avons-nous fait plus qu'il n'en fallait pour lui prouver combien nous l'aimions. « C'était plus fort que moi, je ne pouvais m'empêcher de donner, encore et encore, toujours plus. Je ne pouvais pas m'arrêter. J'avais perdu le sens des limites, de mes limites. De ses limites aussi. »

Maintenant, on a perdu le sens de sa vie. Tout ce que nous avons donné, où l'a-t-on trouvé, on ne sait plus. Nous a-t-il un jour appartenu ? C'est comme un trésor qui serait passé entre nos mains pour disparaître aussitôt. Nous n'aurons été qu'un relais, un passage, un lieu de transit ; une gare. Une gare n'existe que par les trains qui passent. Une fois vide, une gare est triste. Surtout pour qui reste là, à attendre le prochain train, sans même savoir s'il y en aura un. Car nous n'avons pas perdu espoir. Encore maintenant, on attend.

On a le cœur vide, le regard perdu à scruter un horizon où n'apparaît que son passé, on ne voit que l'absence ; nous ne sommes plus qu'absence. Nous-mêmes, on a oublié que l'on était là. On a tout donné et rien gardé pour soi. On a donné notre cœur, tant on était convaincus que celui que l'on aimait en avait plus besoin que nous. On a cru pouvoir s'en déposséder, sans risque, impunément, et que là où il serait, il serait plus profitable, mieux à sa place même, pensions-nous. À quoi nous avait-il servi jusqu'à maintenant ? À souffrir. Autant en faire cadeau à celui qu'on aimait. Quel bonheur de donner son cœur à celui ou celle que l'on aime !

Pourquoi retenir cet élan qui nous habite, ne pas s'offrir à qui on a fini par tenir plus que tout ? On a tant le désir de lui appartenir. « Peut-on vivre pour soi ? Je n'en ai jamais compris le pourquoi. Comment avoir de l'intérêt pour sa propre personne et y trouver une justification à vivre ? Je n'ai que faire de ce que je suis et ne puis concevoir ni ma vie ni mon cœur comme ayant la moindre valeur. Même la notion de sacrifice m'est étrangère ; je n'ai rien, je ne suis rien, qu'aurais-je donc à sacrifier ? » En donnant son cœur, on donne un sens à sa vie.

Certains diront que son cœur, on peut le donner sans jamais le perdre. On peut même se donner de tout son cœur à un être aimé, une œuvre, une action, sans jamais rien perdre de ce que l'on est. On n'en est que plus riche de cet amour que l'on portait en soi et que l'on ignorait, de ces dons d'amour et de créativité que l'on découvre en les offrant. On est confronté au meilleur de soi et l'on reçoit avant même que ce soit de l'autre, du pur bonheur de donner. C'est en donnant que l'on prend connaissance de ce que l'on possède. « La seule chose qui ne nous sera jamais enlevée est celle qu'on aura donnée[1]. »

Alors pourquoi tant d'hommes et de femmes se sentent-ils si perdus d'avoir perdu leur amour ? Ils ont donné et se sont donnés avec amour, mais ils n'en sont ni plus beaux, ni plus grands, ni plus riches. Bien au contraire, ils ne sont plus rien, ni

[1]. Jean-Yves Leloup, *Si ma maison brûlait, j'emporterais le feu*, Alice Éditions, 2001.

dans le regard de l'autre ni à leurs propres yeux. « Je lui ai tout donné ; il ne me reste plus rien. » Leur moral, plus bas que terre, est à l'image de leur personne tout entière : cœur, corps, âme sont en état de déliquescence. Si la vie les traverse, elle ne fait que passer : elle ne prend pas corps. Les expériences, même les plus heureuses, font référence à un bonheur qui n'est plus et qui plus jamais ne sera. Un bonheur qui appartient au passé.

Pourquoi cette sensation d'avoir tout perdu et à jamais, alors qu'ils ont gagné des instants de bonheur et que le bonheur vécu est du bonheur pour toujours ? Qu'ont-ils laissé en route qui les a laissés si désemparés ? Ils avaient mis tout leur amour dans ce nouvel amour, espérant cette fois être récompensés de leurs efforts, enfin compris, enfin aimés à la hauteur de leurs attentes. Et s'ils l'ont été ne serait-ce qu'un instant, comment supporter que ce ne soit plus. Ce à quoi ils s'étaient tant bien que mal habitués, la douleur de l'absence d'un être aimé, ou plus précisément d'un être aimant, ils ne peuvent maintenant accepter que ce soit ainsi. Ils ne peuvent plus accepter de n'être pas aimés.

La rage de ce qu'ils avaient supporté en silence, sans parfois avoir conscience de ce qu'ils supportaient, leur revient en mémoire et elle est maintenant décuplée. La violence sourde qui les occupait et qui se traduisait déjà dans un refus de vivre, dans une exaspération face à ce qui leur était donné à voir et à entendre revient en force. Maintenant qu'ils se sont approchés de leur désir, ils ne peuvent plus se cacher à eux-mêmes ce qu'ils pressentaient n'être pas comme ils le désiraient. On ne peut tenir entre ses mains une étoile, l'étoile de ses rêves et la voir se ternir sous ses yeux, sans perdre soi-même de son éclat.

Tout notre être est le reflet évident du bonheur que l'on vit ; il l'est également de celui que l'on ne vit plus. Ne serions-nous rien d'autre que ce que la vie nous donne à vivre ? Tour à tour éclatants ou éteints, pleins ou vides, sereins ou torturés selon qu'un autre et un seul est prêt ou non à nous aimer ? Il peut s'agir de l'être aimé, mais aussi au quotidien de chacune de nos rencontres, des plus insignifiantes à celles qui sont essentielles. On serait ainsi bien ou mal, au gré de celui ou celle qui croise notre route, lequel aurait lui-même l'humeur plus ou moins altérée selon les personnes qu'il aurait rencontrées. On serait bien peu de chose.

Et l'on comprend dans ces conditions que l'on n'ait, après quelques déceptions, plus le moindre désir de prendre des risques : chaque approche de l'autre est une douleur potentielle, et vivre un danger permanent. Pour cette raison, certains agressent en prévention des coups qu'ils pourraient recevoir, prêts à mordre qui leur tend une main amicale, déjà inquiets quand l'avenir est plein de promesses. Ils prévoient tant et si bien la souffrance que tout plaisir, même fugace, est un déplaisir en puissance. Ils savent que celui ou celle qui a pu leur faire toucher le ciel est celui-là même qui les a menés en enfer ; et ils pensent, à chaque rencontre, qu'il en sera toujours ainsi. Le ciel, même serein, est déjà menaçant.

Mais pour qui se sent menacé en permanence de maltraitance, comme d'être mal aimé, le mal est là qui s'infiltre dans chacun des actes du quotidien. « Moi, que ce soit clair, on ne me traite pas comme ça. » À la moindre réflexion qui les blesse, face à un comportement qui leur paraît froid et distant, ceux qui se sentent agressés agressent à leur tour. Avec la même violence, la même brutalité que celle qu'ils ont cru subir. Ils sont convaincus que l'autre, consciemment, leur veut du mal. Celui qui se sent maltraité maltraite ; mais c'est lui-même qu'il finit par maltraiter.

« Si je ne me sens pas accueilli comme je l'aurais souhaité, avec l'enthousiasme ou pour le moins l'amabilité que je me sens en droit d'attendre, alors je m'en vais. » En réagissant ainsi, c'est bien souvent à son propre désir que l'on tourne le dos. L'enjeu n'est-il pas plus important que la personne qui fait obstacle à notre désir ? Celui ou celle qui nous ferme la porte a mille raisons d'agir ainsi, ne serait-ce qu'une volonté de pouvoir, et aucune ne nous concerne. En partant, c'est soi-même que l'on punit, bien davantage que ceux que l'on voudrait punir ; ces derniers peuvent même se réjouir de nous voir dans tous nos états et constater à quel point il est facile de nous déstabiliser. En renonçant à ce que nous voulions plutôt que de poursuivre dans la même direction, on ferme une porte qui, avec un peu plus de patience et de confiance, et un peu moins de susceptibilité, pourrait nous être ouverte. Pour un « oui » qui se fait attendre, on peut ainsi se fermer à toute ouverture.

Veillons à ne pas aller dans le sens du désir de l'autre quand il met un frein à notre liberté ; si nous adhérons à sa décision, c'est qu'une part de nous y consent. Le refus que nous imaginons être celui de l'autre est parfois le nôtre : notre refus de réaliser ce à quoi nous tenons le plus. On s'enferme dans la douleur de celui qui se sent offensé, obéissant ainsi à nos propres résistances à nous faire du bien : on prend prétexte de qui nous voudrait du mal pour nous en faire à nous-mêmes. L'encouragement dont nous avons besoin est témoin du peu de reconnaissance dont nous avons été l'objet. On reste frileux, timides, face à la réalisation de nos désirs. Comme un enfant qui attend encore l'autorisation d'un adulte pour le devenir à son tour.

En insistant au contraire pour obtenir ce que nous désirons, surtout face à une décision arbitraire et injuste, non seulement nous serons comblés, mais celui ou celle qui nous satisfait en sera aussi satisfait. Il est des « non » que certains prononcent plus par habitude que par conviction et qui ne les rendent pas plus heureux, sinon moins, qu'ils ne le seraient à dire « oui ». « Combien de fois je me suis vu accorder un sourire par ceux qui venaient de me rendre service ; comme s'ils me remerciaient de pouvoir être eux-mêmes remerciés. » En allant au-delà des fermetures de l'autre, des « non » qu'il interpose entre lui et nous, on entre en contact avec sa part d'ouverture, sa capacité à dire « oui ». Si on pense « oui », on autorise l'autre à dire « oui ».

Mais bien souvent dans sa tête, on ne cesse d'osciller entre un « oui » et un « non ». Nous sommes agités par des pensées contradictoires au rythme plus ou moins rapide d'un métronome : « je suis aimé, je ne suis pas aimé », « c'est possible, ce n'est pas possible », « ça va marcher, ça ne va pas marcher ». Nous avons parfois du mal à nous suivre : même une fois le calme revenu, la tourmente nous reprend, le doute nous assaille. On ne sait plus quels mots pourraient nous faire revenir à la raison. Mais quelle raison ? Quand a-t-on raison : quand on a raison d'avoir peur ou quand on a raison de ses peurs ? Ces questions nous épuisent, ainsi que les maux du cœur et du corps qu'elles entraînent. Quelle est la juste pensée ?

Déprimé, on est convaincu d'avoir le seul regard lucide sur le monde, et sa vie en particulier. Alors qu'en d'autres temps et états d'âme, on voit la vie, sinon en rose, au moins digne d'être vécue : on reconnaît qu'elle peut nous apporter des bonheurs inattendus. Ce changement d'éclairage, tantôt sombre, tantôt lumineux, dépend de notre propre susceptibilité – au sens étymologique de prendre par-dessous, subir : nous subissons les événements, « victimes » de notre sensibilité tout élective à tel ou tel comportement. La réalité nous atteint, non en tant que telle − y aurait-il une réalité purement objective ? −, mais par la manière dont nous la « prenons » : bien ou mal, parfois très mal ; et pour qui affirme « je le prends très bien », on entend qu'il y a encore peu de temps, il ne le prenait pas si bien. « On prend sur soi », « on prend en pleine figure », ou on prend pour soi − ou contre soi − ce qui souvent n'est pas pour soi. Réceptif, réceptacle au monde du dehors, on devient prisonnier de ses propres réactions.

On peut vivre un refus, une annulation, voire un retard comme une négation non seulement de notre temps mais de notre personne tout entière. On se sent nié dans le regard de l'autre. Tandis qu'en face, celui qui est en retard, ou contraint d'annuler un engagement, obéit à des circonstances ou une problématique qui lui appartiennent : il a rarement l'intention d'être en retard, ni le mépris ou la désinvolture dont il peut être accusé. Si son comportement n'est pas toujours à justifier, il n'est pas juste non plus de le considérer comme une atteinte personnelle. Chacun a sa propre relation au temps : le respecter, c'est aussi se respecter soi-même.

Aussi longtemps que nous restons dépendants du monde extérieur, et surtout de la façon dont il résonne en nous, nous ne pouvons être autonomes. Autonome vient du grec *autonomos, nomos* signifiant : loi. Est autonome celui ou celle « qui se régit par ses propres lois ». L'autonomie étant le « droit pour l'individu de déterminer librement les règles auxquelles il se soumet » (Le Petit Robert). Quelles sont les règles auxquelles nous nous soumettons ? Même celles qui nous viennent « du dedans », que nous nous sommes fixées, sont conditionnées par la société et l'éducation que nous avons reçue. Au fur et à mesure que nous évoluons, il nous faudra en remettre certaines en question : elles ne seront plus adaptées à la vie telle que nous souhaitons la vivre.

Nous allons déterminer d'autres règles, davantage en relation avec notre désir, notre vrai désir. Être autonome, c'est être libre de décider à chaque instant ce qui est bon pour soi, le cadre et les règles auxquelles on se soumet. Si nous savons bien souvent ce que nous désirons, nous obéissons à d'autres lois que les nôtres et nous ne donnons pas libre cours à nos désirs. Nous ne sommes pas libres.

On sait combien il est difficile de pouvoir agir sur soi : d'avoir quelque influence sur nos propres choix et décisions, même les plus réfléchis. Certains aimeraient dire à leurs proches leurs quatre vérités, convaincus qu'à l'instant même, éclairés par ces propos, leur comportement pourrait en être modifié. Ils ont oublié qu'ils ne cessent de se répéter à eux-mêmes ce qu'ils aimeraient changer sans que cela ait d'effet. Si un autre émet une critique qui va dans ce sens, non seulement cela ne leur est d'aucune aide, mais ils éprouvent davantage d'agacement que de reconnaissance. Il ne suffit pas de dire et de savoir ce qu'il faudrait faire pour que l'autre et nous-mêmes puissions nous transformer.

Tant que notre passé régit notre vie, nous ne cessons de reproduire à l'infini les mêmes douleurs et les mêmes conflits. Nous aimons à la mesure de nos attentes, lesquelles sont conditionnées par ce que nous avons vécu. Les faits et gestes d'autrui, nous les voyons à travers le prisme de notre passé : en relation avec les faits et gestes qui nous ont fait souffrir. Et surtout, nous nous programmons à les revivre et à les subir, à nouveau, comme par le passé. La souffrance est là, permanente, sans plus savoir s'il s'agit de celle de notre passé ou d'un futur hypothétique. Elle induit notre regard et déforme la réalité jusqu'à la rendre conforme à nos craintes. On espère le meilleur, mais en réalité, on s'attend au pire.

Ainsi, on voudrait être aimé, on le souhaite de tout son cœur ; mais on se sent mal aimé. Nous ne pouvons envisager un dénouement autre que dramatique et dans cette vision pessimiste de notre réalité, nous devenons les artisans de notre malheur. On choisit qui ne peut, pour diverses raisons, nous aimer comme nous l'aurions désiré et nous souffrons alors des conséquences de notre choix : un non-amour présent qui renvoie à un non-amour passé. Il se peut aussi que le rejet, l'abandon, l'indifférence que nous croyons voir chez l'autre n'existent nulle part ailleurs que dans notre imagination. Il n'est d'autre réalité que celle que nous nous racontons, d'autres douleurs que celles que nous nous créons.

Nous avons le pouvoir de nous rendre malades par des actes et des paroles auxquels d'autres n'auraient pas prêté la moindre attention. Nous recréons ainsi des douleurs que nous n'aurions plus aimé revivre, allant jusqu'à provoquer des situations qui donnent raison à notre difficulté d'exister. La vie finit par ressembler à nos cauchemars d'enfant, nous incitant à laisser peu à peu de côté nos rêves comme s'ils ne pouvaient s'agir que de chimères. Nos rêves ne sont bien que des rêves, et nos espoirs une illusion ; seules la pauvreté, la tristesse du quotidien ont valeur de réalité. Qu'avons-nous fait de notre vie ? Nos drames intérieurs ont pris le pas sur la force de nos désirs.

« Je n'arrive pas à décider par moi-même. Ce sont les autres qui me donnent la pulsion nécessaire pour agir. Sinon, il y a toujours quelque chose qui m'arrête et je remets à plus tard. » « Ce n'est pas le moment », pensons-nous : ne sommes-nous pas prêts à nous faire plaisir ou les conditions extérieures ne répondent-elles pas à nos souhaits les plus profonds ? Un frein venu du dehors, ou reflet d'un empêchement interne, arrête là nos élans et tue dans l'œuf un bonheur prometteur. Aurions-nous du mal à nous faire du bien ?

« Chaque décision était une lutte. Je n'ai plus le courage de me battre. » Le désir des autres, à commencer par l'entourage proche, allant toujours à l'encontre de ce qu'ils désiraient, certains ne peuvent plus concevoir un bonheur qui ne soit pas l'effet d'une lutte. De guerre lasse, ils finissent par abdiquer. Mais ils ne sont pas satisfaits ; s'ils ont opté pour une apparente tranquillité, prenant l'habitude de laisser de côté ce qui leur importe tant, ils ne sont pas en paix. Ils n'ont pu parvenir à se réaliser ; comment n'en seraient-ils pas malheureux ? « Avant je me soumettais à tout et à tous : même – et surtout – à ceux qui n'étaient pas respectueux de mes désirs. Je vivais dans la négation de mes propres aspirations. » Il leur faut maintenant lutter contre leur tendance naturelle – ou qui l'est devenue – à ne pas se respecter. Lutter à la fois pour et contre eux-mêmes.

Lutte d'autant plus difficile qu'elle peut éveiller un sentiment de culpabilité : ce qui est bien pour eux ne l'est parfois pas pour l'autre. Par conséquent, s'ils se font du bien, ils le font contre le « bien » de l'autre, au risque même de lui faire du mal. Or le « mal » n'est-il pas de céder à qui ne nous veut pas du bien, ou croit vouloir notre bien sans tenir compte de ce qui est véritablement bien pour nous ?

Il est dit que nous sommes tous libres de faire ce que nous voulons « dans la mesure où les autres n'en souffrent pas ». Serait-il légitime de laisser un vampire se nourrir de notre sang, tout simplement parce qu'il en a le désir, ou même le besoin, comme le fait si justement remarquer Richard Bach dans

Illusions, le Messie récalcitrant[1]. « Nous décidons nous-mêmes de souffrir ou de ne pas souffrir, peu importe. C'est nous qui décidons. Personne d'autre. » Comme c'est à l'autre de décider, ou non, de souffrir. Une fois acceptée l'idée que l'on a *toujours* le droit de se faire du bien et que ce qui est bien pour nous ne peut être *toujours* en accord avec ce qui est bien pour l'autre, nous mettons de côté des scrupules inutiles. Ce n'est pas respecter l'autre que de ne pas se respecter.

« Je vis en permanence avec la culpabilité. Je voudrais m'en libérer, mais pour l'instant, cela me rend la vie impossible. » Celui qui vit tout bonheur comme un bonheur volé, interdit, coupable, subit des contraintes que lui-même s'est imposées. Comment vivre ce qu'il ne se donne pas le droit de vivre ? La vie peut bien lui donner des occasions de se faire du bien, s'il considère qu'il n'est pas bien de le vivre, que faire ? Il demeure dans un savoir théorique de ce qu'il lui faudrait faire, mais dans l'incapacité « physique » d'agir dans ce sens. Il se met lui-même en contradiction avec ses propres pensées et s'enferme de plus en plus dans la prison qu'il s'est créée. Il n'est pas libre d'accorder ses actes à ses pensées.

« Chez moi, il n'y avait aucun espace protégé, aucune intimité. Ma chambre, mon courrier, finalement mes pensées appartenaient au domaine fami-

---

1. *Op. cit.*

lial. Je comprends à quel point cela m'a empêché de laisser une véritable place à ma vie amoureuse. Je croyais faire ce qui me plaisait ; en réalité, j'étais sous influence. J'ai décidé de mettre fin à l'envahissement de mon espace, de prendre de la distance afin de pouvoir décider de ma vie sans aucune forme d'ingérence. » Il est un temps où l'on prend conscience de l'interférence familiale sur notre vie privée : sur ce que devrait être notre vie « privée ». Et on ne veut plus de cette dépendance ; il en va maintenant de notre survie. On étouffe dans un espace que l'on a peu à peu restreint, car nous n'avons pas osé prendre la place qui doit être la nôtre. On vit pour les autres et on oublie de vivre pour soi.

Certains croient, en fuyant leur famille, ou encore en créant la leur, être libérés pour toujours du joug de leurs parents. D'autres encore sont convaincus de pouvoir cohabiter avec eux, dans une entente cordiale et respectueuse, sans que cela n'entame d'aucune façon leur autonomie de vie et de pensée. Et puis, un jour, une décision leur tient à cœur qui ne rencontre pas l'approbation attendue. Ils se heurtent à un degré tel d'incompréhension qu'ils ressentent le besoin impératif de rompre. Plus encore qu'avec leur milieu familial avec la présence intérieure de ceux qui menacent leur existence. Leur propre existence.

« Je n'ai pas de vie par moi-même ; j'ai l'impression d'être une toute petite chose, comme une bougie toujours près de s'éteindre, une flamme qui vacille et résiste par miracle aux intempéries. » Certains éprouvent la sensation d'être en sursis. Ils sont là, mais pourraient tout aussi bien ne pas y être. Ils n'ont jamais eu la sensation d'être acceptés tels qu'ils étaient. Toujours à contretemps, ils étaient « trop petits » puis « trop grands » pour obtenir ce qu'ils désiraient. Ils ont fini par déduire qu'il y avait toujours un « trop » dans leur demande, un « trop » dans leur présence. Leur existence dérangeait celle des autres. Comment, dans ces conditions, se donner le droit d'exister ?

Ne peut-on chercher à dépasser les regards et les interdits qui menacent notre vie, à ne plus être en attente de ce que l'autre, un autre, *veut bien* nous donner et trouver une force en soi qui ne dépende que de soi ? Une force que l'on puisse alimenter par soi-même, une petite flamme que l'on maintienne en vie, à l'abri des vents mauvais : sans nous laisser atteindre par des réflexions et des comportements que l'on ressent comme des agressions. Trop à l'écoute de nos insuffisances, concentrés sur nos manques à vivre, la vie est là, mais nous ne la voyons pas. « Ma solitude n'est pas faite de ce qui me manque, mais de ce qui n'existe pas[1] », dit Porchia. Il est une solitude où on se lamente sur soi-même et on se plaint de ce que l'on n'a pas. Il en

---

1. *Voix, op. cit.*

est une autre, synonyme de liberté, qui se vit dans la plénitude et le bonheur de se sentir autonome.

« Maintenant, je suis seule à organiser ma vie ; je trouve en moi mon bien-être et ne le fais plus dépendre des autres. C'est à moi de faire ma vie. » *Faire sa vie*. En premier lieu : *faire*, agir, construire. Des actes qui ne sont pas le déni mais la signature de ce que nous sommes. *Sa* vie : ses intérêts, ses goûts, ses désirs. Garder le cap, sans laisser quiconque nous dévier de notre route. Sa *vie* : agir en sorte de maintenir la vie en soi, une vie qui nous appartient.

Nous nous autorisons à vivre sans attendre qu'un autre nous y autorise. Connectés à nos aspirations profondes, on fait confiance à l'inspiration qui nous conduit sur notre chemin de vie. Nous sommes à l'écoute de notre petite musique intérieure.

S'OUVRIR À LA PAROLE DE L'ANGE

Dans chaque acte de ton quotidien,
Tu garderas le lien
Avec cette part de lumière qui est en toi.
Elle sera source renouvelée
D'amour et d'humilité, de respect et de joie.
Les anges sont toujours là
Pour te montrer le chemin.
Apprends à les écouter.
En les écoutant, apprends à t'écouter.
Fais-leur confiance, fais-toi confiance.
En leur présence,
Tu t'ouvriras à plus grand que toi.
Libre d'être ce que tu es,
Tu te laisseras porter,
Dans la force et la légèreté
Au son de leur musique,
Au souffle de leurs baisers.
Tu pourras déployer tes ailes et t'envoler.
Toi-même seras un ange.

À L'ÉCOUTE DE SOI

Tu seras à l'écoute de ta voix intérieure,
Cette petite voix qui te guidera tout au long du
chemin, de ton chemin de vie,
Qui te dira où il te faut aller, où au contraire
ne pas t'aventurer,
Qui t'accompagnera même au plus profond de
ta solitude
et deviendra pour toi ta plus douce habitude,
    Qui t'apportera son secours
Quand de l'aide tu nécessiteras,
Sera ton épaule quand le chagrin t'emportera
Et ta force quand la fatigue t'envahira,
Cette voix amie qui jamais ne faiblira
Si tu prends bien soin de l'entendre,
Même quand elle te parle tout bas.

« J'aurais dû suivre mon intuition : il ne m'a pas fallu longtemps avant de me dire : "cet homme est fou". Plus exactement de ressentir une douleur à la fois sourde et aiguë, un coup porté sans pouvoir délimiter le lieu où cela se situe : un lieu qui souffre et qui a déjà souffert, c'est certain. Un lieu en relation directe avec le cœur : c'est là que mon cœur souffre. » Il est un point où notre corps s'alarme et nous alarme quand notre cœur a mal, quand l'autre nous fait mal. On a « mal au cœur » ; ce peut être la tête, le dos, le ventre. Le corps nous parle. Mais nous n'avons pas toujours envie de l'entendre.

Nous n'avons pas envie de mettre fin à notre histoire. Attendons encore un peu. Et cessons de rêver : n'imaginons pas rencontrer quelqu'un qui soit parfait. S'il est vrai que son caractère est difficile, cette personne nous plaît et nous n'avons pas inventé les doux instants que nous avons partagés : si bons, presque parfaits.

Si nous acceptons l'être aimé tel qu'il est, ne pourrait-on vivre une grande et belle histoire d'amour ? Nous trouverons le moyen de lui dire ce qui nous fait souffrir et il nous entendra. On décide de lui faire confiance. Mais on ne se fait pas confiance.

Notre inquiétude n'est pas toujours de bon conseil. Laissons là nos tristes pensées, se dit-on. Et puis, « cette personne *peut* être la plus aimable qui soit, aurai-je de sitôt l'occasion de rencontrer celle qui fera ainsi battre mon cœur ? Il faut savoir saisir sa chance quand elle se présente ». « Cet homme est fou ; j'aime bien les hommes un peu fous. » « Elle n'est pas assez aimante, mais je sais qu'elle souffre – et le sais d'autant mieux que moi aussi je souffre –, je la guérirai. » Nous voulons nous convaincre que tout est possible.

Et à nouveau la même douleur : quel étrange comportement. Les mots que nous aurions tant aimé dire, les mots de notre amour mais aussi de notre peine, voilà que nous devons les garder pour nous. Moins l'autre nous répond, plus nous souffrons et plus ces mots que nous taisons, nous ne cessons de les lui répéter, dans un monologue imaginaire. Le dialogue que nous n'avons pas avec lui s'est transformé en un dialogue intérieur qui n'en finit pas. L'autre ne nous rassure pas ; c'est à nous de trouver les mots qui nous rassurent. Plus notre amour est inexistant, plus nous avons besoin de le faire exister, déjà à nos propres yeux. On ne cesse de se parler à soi-même.

Nous avons trop mal pour partir et sommes trop désespérés pour perdre tout espoir dans la relation : notre cas n'est peut-être pas perdu et notre amour non plus. « Elle est très indépendante. Si je la laisse vivre, elle me laissera entrer dans sa vie. » « Il est phobique, on me l'a dit, dès qu'il se sent bien avec moi, trop bien pour lui, il éprouve le désir de fuir. Si je prends un peu de distance, il reviendra. » Mais comment prendre de la distance quand celle que l'autre impose nous met à la torture, quand son silence, ses silences sont vécus comme un supplice ? Nous sommes désemparés.

Nous avons besoin de savoir : « Qu'ai-je fait à l'autre qui ne lui a pas plu ? Ai-je eu une phrase maladroite, l'ai-je blessé ? Qu'il me parle. » Nous sommes absorbés par le monde de l'autre : ce monde dans lequel il semble lui-même si absorbé. « À quoi pense-t-il ? Quand je le lui demande, il me dit qu'il ne pense à rien. Comment fait-il pour ne penser à rien quand j'ai la tête pleine de questions sans réponse ? » On se sent plus seul que si l'on était seul. L'autre s'écoute si peu, nous écoute si peu que nous-mêmes ne savons plus nous écouter.

Dans cette vie qui n'est plus qu'attente, attention permanente des moindres mouvements de l'autre, des expressions les plus infimes de son corps et de son âme, notre univers s'est rétréci ; il est devenu si petit que l'on ne sait plus où l'on est. Nos amis, nos intérêts, nous les avons mis de côté, comme si *notre* vie faisait dorénavant partie du passé. Nous voyons notre propre histoire se détacher de nous comme si nous n'avions rien vécu en dehors de lui. Le passé que nous avons partagé ensemble est devenu plus important que tout ce que nous avions pu vivre auparavant ; et sa vie plus essentielle que la nôtre. Nous ne pensons plus qu'à notre amour perdu.

Et plus l'on se sent perdus, moins on est capables d'opposer une résistance à l'envahissement que nous procure l'absence de notre amour. Où est-il ? On veut être là, pour lui, pour nous et pour lui, mais notre insistance nuit à notre présence. On veut trop être là. Et comment être là où il n'est pas lui-même ? Finalement, c'est nous qui ne savons plus où nous sommes. On ne voit plus rien de ce qui nous entoure ; plus rien, si ce n'est lui qui ne nous voit pas. On n'entend plus rien, si ce n'est l'absence de sa voix. Avec notre amour, nous avons perdu notre identité.

« Je ne me reconnais plus. Grâce à cette rencontre, car c'est bien de grâce qu'il s'agit, je croyais ouvrir une porte sur l'infini. Cette porte s'est refermée sur mon chagrin. » On espérait en s'ouvrant à l'être aimé s'ouvrir sur le monde ; et nous nous sommes enfermés tous deux dans un monde de plus en plus restreint. Au lieu d'agrandir notre espace de son espace, nous avons réduit le nôtre à la mesure du sien, ou plus précisément de celui qu'il voulait bien nous accorder. Au lieu de découvrir un univers qui nous était jusque-là inconnu, nous sommes plus nus qu'un enfant perdu. Nous ne sommes plus rien.

Quand la passion ne peut plus être vécue, on se prend de passion pour ce que l'autre a vécu. Hommes et femmes s'interrogent : l'autre, celui qui se refuse à aimer comme on le souhaiterait et que l'on considère comme « fou », avant tout parce qu'il nous rend fous, a un comportement qu'il faut comprendre. Pourquoi a-t-il agi ainsi ? Face à cette vie qui se dérobe, à l'autre qui se dérobe, à cette vie qu'il nous dérobe, il faut trouver les mots qui permettent de continuer à vivre. Apaiser sa pensée et faire silence à son cœur en souffrance.

Le paradoxe est que l'on se sent coupable de l'échec d'une relation tout en énumérant les fautes que l'autre a commises : on est à la recherche de *sa* pathologie, celle qui peut être à l'origine de son amour impossible. Est-ce une mère qui l'a trop aimé, ou pas assez, un père absent, ou trop présent, une incapacité à aimer, ou le souvenir encore trop douloureux d'un amour passé, une souffrance qui empêche d'aimer, ou une absence de souffrance qui ne permet pas d'aimer ? Toute l'attention est portée sur l'autre et on oublie de plus en plus de s'écouter.

On est dans l'oubli de soi. Dans l'oubli de l'essentiel, pour justement ne pas perdre ce que l'on croit être essentiel. Notre vie est suspendue à celle d'un autre, et nous ne savons que faire pour lui plaire. Plus on se sent impuissant à exister à ses yeux et plus on se bat avec soi-même pour inventer un autre « moi », se créer une autre personnalité qui pourrait le satisfaire. Et si l'on était plus gentil, se dit-on, ou au contraire plus distant, plus tolérant ou plus exigeant ; que ne ferait-on pas pour le reconquérir ? Toute notre personne est tendue vers un changement de l'autre, un geste qui soulage notre attente, un acte qui puisse enfin répondre à notre demande. On est prêt à tout pour obtenir ce que l'on désire : un désir qui ne tient compte que du désir de l'autre. Et nous ? Concentrés sur l'autre, on a perdu notre centre.

« Toutes les années où j'ai vécu avec elle, c'était l'enfer. J'étais à l'affût de ses moindres faits et gestes, en permanence inquiet de ne pas savoir si elle m'aimait. Car elle se montrait toujours insatisfaite de ce que je lui donnais, me répétant sans cesse que je ne savais pas l'aimer. » Il est des rencontres qui nous éloignent de nous : comme si l'on avait choisi de se perdre plutôt que de perdre la relation. Mais si l'on est prêt à se perdre, près de se perdre, c'est bien souvent que la relation est déjà perdue. Et si on se retient de partir – comme on retient l'autre de s'en aller – c'est pour maintenir en vie une union qui se meurt, un lien qui est, le croit-on, mieux que rien, mais qui en réalité n'est plus rien et nous entraîne dans une mort certaine : la mort de l'âme. Pour faire vivre la relation, soi-même on ne vit plus.

Certains disent : « Je suis seul à faire vivre la relation. » S'ils ne vont pas vers l'être aimé, ce dernier ne fera pas un geste ; ils en sont convaincus. Ils ne se sentent pas portés par la relation ; bien au contraire, ils ont la sensation d'avoir à la porter et sont persuadés que, sans eux, elle finirait par ne plus exister. Ils ont besoin de preuves, des preuves qu'ils attendent sans cesse de l'autre, des preuves qu'ils sont aimés. Ils ne sont plus dans ce qu'ils pensent, ce qu'ils disent, ce qu'ils font mais dans ce que l'autre pense, dit et fait. Ils ne sont plus habités que par l'absence de l'autre. Inhabités de leur présence à eux-mêmes.

« Avec le temps, va, tout s'en va », comme le chante Léo Ferré, ce qui rendait heureux sans que l'on sache pourquoi, ce qui était bon et que chacun goûtait avec délice, envahit maintenant par son absence. Quand l'amour de l'autre s'en va, tout ce qui en faisait sa force et sa beauté apparaît en négatif : chacun ne voit plus que ce que l'autre ne fait plus. C'est un amour sans amour : un visage aimé dont le regard n'est plus aimant, une voix aimée dont la parole n'est plus aimante, une main aimée dont le geste n'est plus aimant. C'est un amour qui n'en a plus que l'apparence.

Ceux qui n'aiment plus, ou aiment moins, ou autrement, ou encore aiment ailleurs, parfois croient préférable de maintenir leur présence – celle d'un fantôme – pour, pensent-ils, ne pas faire de peine. Ils conservent au regard de l'autre certains gestes de l'amour, mais ils le rendent fou de cet amour qui n'en est plus un. Lui laissant la charge de faire seul le travail de deuil, ce dernier doit apprendre à faire confiance à l'indicible. L'indicible qui n'est plus celui de l'amour – si doux à l'oreille du cœur – mais du non-amour. Il entend ce qui ne se dit plus. Et il souffre d'être seul à l'entendre.

D'un amour partagé, la relation est devenue un affrontement entre deux malentendus. Celui qui n'est plus aimant se comporte ainsi car il ne se sent plus aimé : plus aimé comme il le voudrait. Par exemple, un homme peut se sentir en droit d'attendre de sa femme un amour inconditionnel. Quand celle-ci donne la priorité, du moins le croit-il, aux enfants, à son travail, à la maison, il se sent délaissé. La femme n'a plus les mêmes élans, la même disponibilité : il n'est plus « tout » pour elle et il en souffre. S'il le dit, il est souvent mal compris. Impuissant à se faire aimer, il finit par se taire. Et se met à l'écoute de qui l'écoute. Il va là où on l'écoute.

La femme souffre de son côté car elle se sent elle aussi incomprise et mal aimée. Face à la demande à la fois constante et insatisfaite de son compagnon, elle se sent niée dans ses propres besoins et désirs. Il attend d'elle une présence permanente qu'elle ne peut lui donner, comment ne le comprend-il pas ? Et elle attend de lui une qualité de présence, des attentions et un échange qu'il ne lui offre plus, que ne l'entend-il pas ? En réaction, elle finit par se refuser à lui. C'est pour elle un moyen d'exprimer son impuissance à se faire aimer : son cri silencieux face à qui ne l'écoute plus.

S'il est une chose difficile, voire impossible à demander, c'est l'élan d'amour qui vient de l'autre, justement sans qu'il soit demandé. On peut crier ses attentes, revendiquer des gestes, implorer des caresses, chuchoter des « tu m'aimes ? », tourner le dos pour exprimer son ressentiment, claquer la porte pour signifier « assez ! » : on crie, on se tait, mais on ne dit pas. On n'ose pas dire ce que l'on a sur le cœur, on ne peut le dire tant il est serré et la gorge nouée. Car tous ces mouvements maladroits, ce n'est pas dire mais hurler son profond désarroi. Le silence autant que les cris ne font qu'accentuer cette distance que l'on voudrait abolir. On ne peut dire, simplement, ce que l'on désire.

Cette simplicité, il faut des années pour la trouver ou la retrouver. Tant que la relation est simple, on reste simple. Mais quand elle devient compliquée, on le devient tout autant. « Tu ne peux pas comprendre ; c'est compliqué », disent ceux qui, dans le même temps, sollicitent de la part d'autrui un avis éclairant sur ce qu'ils vivent. Celui ou celle qui prononce ces paroles est convaincu d'être seul à pouvoir démêler les fils d'une relation de plus en plus complexe ; seul à vivre ce qu'il vit. Mais la complexité est telle qu'ils ont besoin de l'autre pour apprendre à s'écouter.

Plus il devient difficile de savoir quelle est la bonne décision à prendre, plus ce qui est en jeu répond à une problématique profonde, ancienne, voire archaïque : une souffrance qui vient du fond des temps, là où la mémoire ne peut plus se rendre. Là où les souvenirs, muets, ne se font plus entendre qu'à travers un corps souffrant, un langage symbolique qu'il faut savoir décrypter, des comportements régressifs et répétitifs : ce qui justement nous pose un problème. « C'est compliqué » indique la direction de notre réflexion. C'est là où l'on doit apprendre à écouter ce qui se vit en nous.

On le sait, de génération en génération, ce qui n'a pas été dit se revit. Et on reproduit à l'infini ce qui n'a jamais été compris. Des douleurs familiales se transmettent sans que l'on sache d'où elles viennent : qui de nos ancêtres a souffert et quelle fut sa souffrance. Or les enfants de ceux qui ont subi des traumatismes souffrent d'autant plus qu'ils ne savent plus rien de ce que leurs aïeuls ont vécu. Ils portent dans leur chair ces souvenirs enfouis, une empreinte d'autant plus tenace et virulente qu'ils en ignorent l'origine. Ils rejouent les mêmes scènes, espérant ainsi se délivrer du mal qui les habite, réhabiliter cette part souffrante qui n'est pas la leur mais qu'ils portent en eux par une sorte de « loyauté invisible », selon la formule d'Anne Ancelin Schützenberger [1]. Ils veulent guérir de douleurs qui ne sont pas les leurs.

Nous sommes tous ces héritiers de souffrances ancestrales : nous poursuivons des luttes que

---

1. *Aïe, mes aïeux !*, Desclée de Brouwer, La Méridienne, 1993.

d'autres ont menées, rejouons des drames qui ont fait pleurer, cherchons à nous libérer d'un joug que d'autres ont subi. C'est ainsi que l'on fait entrer ceux que nous aimons dans une partition qui est la nôtre, qui est devenue la nôtre quelle qu'en soit l'origine. Nous leur donnons un rôle à jouer dans notre histoire, dans notre petite et grande histoire : celle que nous connaissons mais également celle que nous ne connaissons pas, celle que l'on se raconte et celle que l'on nous a racontée, au-delà des mots, à travers les faits et gestes de ceux qui nous ont précédés, les petits et grands maux de leurs vies.

On leur fait tour à tour jouer un bon ou un mauvais rôle, en fonction de leur personnalité et selon l'épisode de notre livre de vie qu'il nous faut vivre. Vivre et revivre afin de comprendre, enfin, la raison de nos peurs et de nos désirs contrariés. C'est justement pourquoi on « choisit » celui ou celle qui réveille nos peurs et contrarie nos désirs. C'est nous qui créons l'autre tel qu'il est.

On lui fait porter le bel habit de l'amour, et on peut d'un jour à l'autre le lui retirer et le remplacer par celui de la haine. Il nous aide, par ce qu'il est et nous renvoie de nous-mêmes, à sans cesse nous améliorer. Dans cette dynamique interactive, si nous-mêmes occupons un rôle qui ne nous convient pas, c'est nous qui permettons à l'autre de nous faire souffrir, comme nous pouvons aussi, sans le savoir, le faire souffrir. Nous devons nous enrichir de ces expériences pour nous libérer peu à peu de notre passé. Même quand on se croit objet du désir de l'autre, on est sujet de sa vie.

Que nos souffrances soient anciennes, ou que nous ayons l'art de les créer et de les recréer, être sujet de sa vie, sujet d'une vie heureuse, consiste déjà à prendre conscience que cet autre, ces autres que nous avons fait entrer dans notre vie sont tels qu'ils sont car nous avons bien voulu qu'ils le soient. Ceux qui ont un comportement à tendance paranoïaque, voyant toujours à l'extérieur d'eux-mêmes la cause de leurs malheurs, ne remettent jamais en question leur propre responsabilité dans ce qu'ils vivent. En ce sens, ils ne répondent pas de leurs actes.

Or être responsable de soi et des autres, c'est savoir prévoir les conséquences de ses actes et ensuite les reconnaître comme telles. Si j'agis ainsi, cela peut entraîner telle ou telle réaction que je dois envisager *avant* d'agir. Et si je constate, à travers ce que je vis, telle conséquence de mes actes, je me dois envers moi-même, comme je le dois aux autres, d'essayer d'en comprendre les raisons. Chacun devrait, avant d'exiger de l'autre qu'il puisse s'expliquer sur sa conduite, avoir le courage, en son âme et conscience, de se demander à lui-même : « Pourquoi j'agis ainsi ? »

Nous sommes tous responsables de ce que nous vivons, de ce que nous avons, plus ou moins consciemment, choisi de vivre. Accepter notre responsabilité dans l'évolution d'une relation permet d'espérer qu'il n'en soit pas toujours ainsi ; comme de comprendre quelle est notre participation au scénario qui vient de se dérouler sous nos yeux nous donne la force de croire qu'il peut un jour en être autrement. Bien souvent nous y avons participé, mais on a la sensation que tout nous a échappé. Et la douleur est là, d'avoir vécu ce que nous ne voulions pas vivre, d'être les spectateurs impuissants d'un drame dont nous sommes également l'un des principaux protagonistes. « Que sommes-nous en train de vivre ? » : voilà ce que nous avons à penser, non en termes de culpabilité mais de lucidité.

Si nous sommes toujours les acteurs, même inconscients, de notre vie, nous n'avons pas à rendre l'autre coupable de ce qu'il nous fait vivre, ni ne sommes coupables de le vivre. Est-il bien utile de nous faire des reproches, de nous apitoyer sur notre sort, et ce d'autant plus que nous éprouvons des remords ? N'est-ce pas du temps perdu ; encore du temps perdu sur notre bonheur à vivre ? À nous d'agir afin de ne pas répéter les mêmes douleurs. Nous sommes toujours libres d'accepter ou de refuser une situation qui nous déplaît. À nous, à chaque instant, de décider ce qu'il est juste ou non de tolérer. Il nous faut pour cela garder notre esprit en éveil.

Mais si nous nous laissons dériver, détourner de notre route, le doute vient nous visiter puis finit par s'installer. On ne sait plus rien, ni sur soi, ni sur les autres ; même ce qui nous semblait simple et évident, maintenant ne l'est plus. Une pensée en chasse une autre et vient aussitôt la contredire. On ne peut plus entendre la juste pensée qui un temps nous traverse l'esprit. La confusion est totale. Dans notre esprit, c'est le chaos, une véritable cacophonie. Le dialogue intérieur est devenu un dialogue de sourds. On ne s'entend plus.

Méfions-nous de notre besoin d'amour : il peut éloigner de soi alors même que l'on croit s'en rapprocher. Nous sommes prêts à tout sacrifier, jusqu'à nous-mêmes, tant nous n'avons plus pour nous-mêmes de réelle importance. Ne donnons pas notre âme au diable, n'offrons pas notre cœur à qui n'a rien à nous offrir et ne laissons pas notre esprit errer dans un monde de chimères. Discernons qui nous aime : si l'autre nous aime, il nous mène toujours plus haut que nous-mêmes. Il n'est pas là pour nous faire descendre dans les enfers du désespoir ni nous mener dans des abîmes de tristesse. N'oublions jamais qu'il vaut mieux être seul, comme on dit, que mal accompagné et que si nous sommes malheureux, c'est que nous n'avons pas su respecter nos engagements ; avant tout, ceux que nous avons pris envers nous-mêmes. Nous n'avons pas su nous écouter.

Écouter cette voix amie qui n'est autre que cette part de nous « bienveillante » : qui nous veut du bien et veille sur nous. Cette voix qui nous guide, nous inspire, nous accompagne sur le chemin, à chaque instant de notre vie. Si nous savons y prêter attention. Laissons-lui le loisir de s'exprimer et le champ libre pour se faire entendre, loin du brouhaha de nos plaintes et de nos craintes inutiles. Apprenons à lui faire confiance, à nous faire confiance : à écouter en nous le meilleur de nous-mêmes.

SE FAIRE CONFIANCE

Tu ne cesseras de faire confiance
À ce qu'il y a de meilleur en toi,
De meilleur pour toi.
Bien que le mal existe
Et que le bon se fasse trop longtemps attendre,
Même quand la souffrance met ta foi en péril,
Et que le bonheur rime avec absence,
Tu ne perdras pas patience.
Quand le soleil se cache et que la lune disparaît
      derrière les nuages,
Au-delà des ténèbres qui te font voir la vie en
      noir,
Tu continueras à croire,
Dans le plus profond de ton âme,
À la lumière qui est, et toujours sera.
En amont des cris de ton cœur,
Tu écouteras la musique des anges :
C'est une chanson d'amour.
Elle est dans le cœur de chacun,
C'est son secret et souvent il l'ignore.

« Je n'ai pas confiance dans le fait que l'on puisse m'aimer. Je suis une ratée. J'ai tout raté. Quand on me fait des compliments, je ne peux pas croire que cela s'adresse à moi. Je sais que je ne donne pas l'image d'une vie ratée. Bien au contraire. Je fais tout pour m'entendre dire que je suis belle, que mon couple, mes enfants, ma maison sont magnifiques, et que j'ai un bon métier ; en un mot que ma vie est parfaitement réussie. Mais je sais que ce n'est pas moi. Si je fais illusion, je ne me fais plus d'illusions : plus je m'acharne à donner de moi une image de rêve, plus le contraste est grand avec la réalité de ce que je suis. Car je ne suis pas ce que les autres croient. Mais s'ils ne croient pas en moi, qui suis-je ? »

Plus nous cherchons dans le regard de l'autre cette confiance qui nous fait défaut, plus nous sommes à l'affût du geste ou de la réflexion qui contribue à nous faire douter. Une mère dit à sa fille : « Aujourd'hui tu es jolie, ma chérie », celle-ci peut penser. « Aujourd'hui, peut-être ; mais hier, ne l'étais-je pas ? Et demain, le serai-je encore ? » À chaque rencontre, elle attend la sanction : « Suis-je jolie ou ne le suis-je pas ? Ai-je bien fait ou n'ai-je pas bien fait ? Suis-je une bonne épouse, une bonne mère, une bonne maîtresse de maison ? » « Ce n'est jamais gagné ; mais avec moi, c'est perdu d'avance. » Notre mère ou notre père ont pu nous adresser des félicitations, mais nous les sentions le plus souvent insatisfaits. Excepté à de rares moments et on ne savait pas pourquoi. Nous sommes alors toujours à la recherche d'une approbation, sans qu'aucune nous apporte la réassurance que nous en attendons. Même quand un autre croit en nous, on n'y croit pas.

Quand on nous dit « c'est bien », on pense que l'on a voulu nous faire plaisir ou que c'était un accident, un heureux hasard, un pur jeu de circonstances. « On m'a trop souvent répété que je n'étais capable de rien. "Vous êtes tous des bons à rien comme votre père", disait ma mère. Elle ne valorisait que son propre père : en dehors de lui, point de salut. Et nous, les enfants, qui héritions du chromosome déficient d'un mari qu'elle méprisait, quelle chance avions-nous d'échapper un jour à la malédiction ? » Certains ont beau s'épuiser à courir derrière une image de perfection, ils sont sans cesse rattrapés par des miroirs négatifs : ils se regardent dans la glace, ou dans le regard d'autrui, et ils ne voient que ce qui ne va pas. On reste « déformé » par ce que l'on a entendu, marqué par l'empreinte du passé.

La mémoire du passé l'emporte sur toute réalité présente. Ainsi ceux qui ont souffert d'un excès de poids, même devenus minces, « se voient » encore obèses ; de même, ceux qui ont été considérés comme « trop grands » ou « trop petits » par rapport à ceux de leur âge, « oublient » leur taille d'adulte et se croient toujours « différents ». D'autres qui ont eu des échecs scolaires répétés, même s'ils occupent dorénavant un poste à haute responsabilité, ont la sensation de l'avoir usurpé. Ceux qui ont été montrés du doigt, car ils n'étaient « pas comme les autres », portent longtemps la marque de l'exclusion.

Un « vilain petit canard », même devenu cygne, garde la mémoire de ce qu'il était ; et moitié canard, moitié cygne, il se met à boiter : un pied *veut* avancer tandis que l'autre ne *peut* pas. Une part de lui a le désir de vivre tandis que l'autre se l'interdit. Quand l'enfant que nous étions a été sans cesse l'objet de critiques, l'adulte que nous sommes n'en finit pas de se critiquer lui-même.

« Quand je reçois des encouragements, il suffit d'un petit "mais" pour tout remettre en question : pour anéantir le peu de confiance que je me porte. » Si certains pensent être intelligents et doués pour ce qu'ils font, ils sont en même temps convaincus d'être stupides et incompétents. Ils n'ont pas besoin d'un commentaire extérieur pour alimenter ce doute permanent : un doute préexistant à chacun de leurs actes. Un doute si présent que bien souvent ils n'agissent pas : ils imaginent ce qui pourrait être dit et tant de critiques leur viennent à l'esprit qu'ils ne font rien. Ils savent ce qu'il leur faudrait faire mais une force inconnue immobilise leur pensée et arrête leur geste : ils sont empêchés d'aller là où ils voudraient aller. Dans cette pénible dualité, une part d'eux croit encore à ce que l'autre ne croit plus.

Pourtant ils restent convaincus de la valeur de leurs idées et sont même certains de la qualité de ce qu'ils pourraient créer, s'ils allaient au bout de leur pensée. Mais ils sont, et resteront, un génie méconnu. Autrement dit, un génie connu d'eux, et d'eux seuls. Enfants, déjà, on ne les croyait pas, on les renvoyait à des « où tout cela te mènera-t-il ? », « qu'est-ce que tu crois ? », « pour qui te prends-tu ? ». « À mon tour, je n'ai plus voulu écouter ceux qui ne m'écoutaient pas : j'ai si peu cru en eux qu'il ne m'importait pas qu'ils croient ou non en moi. » Ils se sont révoltés, mais les remarques ont laissé des traces, arrêté des enthousiasmes et mis fin à des élans. Des élans qu'il leur faut maintenant retrouver et restaurer : un rien les brise.

« Une réflexion anodine, un sourire absent, un silence inapproprié, une main non tendue et j'identifie chez l'autre une hostilité volontaire. » Une hostilité qui naîtrait d'une inaptitude à se faire aimer, à prendre place dans le regard d'un autre, à exister de telle sorte qu'on puisse leur porter quelque intérêt. Un échec donne raison à ceux qui n'ont pas cru en eux, une erreur de parcours les fait retourner au point zéro et inhibe toute volonté de recommencer. « Ils ont raison : je suis un incapable. Ils ont eu raison de moi : je suis incapable de réussir ce que j'entreprends. J'ai eu tort de me faire confiance. Comment, maintenant, croire en moi ? »

Il faut de la force pour lutter contre les vents mauvais, et cette force souvent fait défaut. On baisse les voiles quand il faudrait les hisser. Même si on croit en soi, on ne croit pas en sa victoire : on ne peut se voir victorieux, ce n'est pas pour nous. Seul notre cinéma intérieur nous fait entrevoir un succès mérité. Mais sitôt sorti de notre imagination, notre rêve se heurte à une impossible réalisation. Des reproches affluent qui n'ont cependant pas lieu d'être. On se heurte à des limites que l'on s'impose à soi-même, au mur créé par notre propre sentiment d'impuissance. On peut rester à l'orée de ses possibilités.

Et on en souffre. On voudrait, ô combien, que ce soit autrement. « Certains pourraient m'accuser d'être complaisant à l'égard de mes plaintes et considérer que "je m'écoute trop" : à dénigrer sans cesse ce que je suis, je me donne bien de l'importance. À quoi me sert-il d'insister sur mes manques et mes insuffisances, quelle utilité de me lamenter si je ne me donne jamais les moyens de changer ? Ai-je tant de temps à perdre pour le consacrer à mes peines, au lieu de prendre la peine d'y remédier ? » Ces mots, nous pouvons nous les dire autant qu'ils nous sont dits. Mais rien n'y change.

Quand on « s'écoute trop », est-ce soi que l'on écoute ou des blessures encore trop vives pour se faire oublier ? Ne reste-t-on pas attachés à une histoire passée qui prend le pas sur notre vie présente ? Une histoire désespérée et désespérante qui nous hante au plus profond de la nuit, mais à laquelle on revient sans cesse, comme vers les paroles d'une chanson qui nous fait pleurer, pensée nostalgique d'un passé qui n'a pas existé. « On aurait pu, on n'a pas su », regrets qui font penser « qu'on ne saura, ne pourra jamais ». Le passé déteint sur l'avenir, lui imprimant les couleurs les plus sombres. On conjugue la vie sous sa forme négative et on se laisse bercer par cette musique macabre qui nous fait plonger dans les eaux les plus noires. Une musique qui s'apparente à la mort.

Quand on s'écoute trop, on ne s'écoute pas : on n'écoute pas cette voix qui ne demande qu'à vivre. On entend celle qui nous en empêche : on donne la parole à ses démons. Les démons qui ne nous font pas la vie facile, car la vie ne leur a jamais été facile. Ne seraient-ils pas ces anges maltraités que nous portons en nous : ces ailes brisées, ces chants interdits, ces envols arrêtés ? Ils sont encore trop pleins de leurs douleurs pour ne pas les communiquer et nous les faire partager. Pas question d'être pleinement satisfait du plaisir de l'instant, ni de savourer un bonheur à sa juste valeur. Ils n'ont que faire du bonheur : ils ne savent pas quoi en faire. Seul le malheur peut être entendu.

Pourraient-ils soudain tout oublier et sourire

comme des anges ? Qui a été longtemps en guerre, peut-il *décider* de faire la paix, mettant de côté ses rancœurs et ses rancunes accumulées ? Les démons demandent à être vengés, entendus dans leurs plaintes, accompagnés dans leur souffrance. Ils ont un devoir de mémoire qui n'accorde aucun jour de relâche, aucune vacance possible de l'esprit, pas le moindre temps de répit. Un devoir qui interdit d'être heureux et qui fait dire « je dois », et non « je désire », avant chaque acte du quotidien. Un devoir d'autant plus présent que le plaisir est absent. Il faut du temps et réparer beaucoup de douleurs pour se donner le droit d'être heureux : non dans un futur hypothétique, mais ici et maintenant.

Combien d'hommes et de femmes, apparemment comblés pour tous ceux qui les regardent vivre, souffrent de *leur* vie et s'en plaignent. Ils semblent avoir perdu de vue ce qu'ils ont, tant ils sont concentrés sur ce qu'ils n'ont pas : ils ne cessent d'attendre ce qu'ils n'ont pas reçu, ce qu'ils considèrent n'avoir jamais reçu. Ils avaient pourtant orienté leurs choix dans le sens de leur désir : telle profession, tels mariage et vie de famille, tels lieu et mode de vie ne devaient-ils pas répondre à leurs aspirations ? Il semble que non : leurs attentes n'ont pas été comblées. L'orientation n'était-elle pas la bonne ou les manques impossibles à calmer ? Il est des « vies heureuses » qui ne rendent pas heureux.

La vie peut bien leur donner intelligence et beauté, amour et succès, ils n'ont d'yeux que pour l'inaptitude, la laideur, l'abandon et l'échec. Plus les parents leur ont donné à croire qu'ils n'étaient pas assez beaux, dans leur corps, leur cœur, leur âme, plus ils rêvent que leur soient murmurés des mots plus doux et plus tendres. Et plus ce rêve reste un rêve : ils ne peuvent y croire. C'est pour eux le chant des sirènes : une illusion flatteuse, une louange fatale. Comment se laisser aller à la douceur des mots et au bonheur des caresses quand on a reçu de l'enfance des paroles aussi dures que l'était l'absence de tendresse ? On veut s'ouvrir à l'amour, mais on n'entend que le non-amour.

Comment penser que « tout va bien », quand « tout va mal ». Dire à quelqu'un qui souffre : « Regarde tout ce que tu as » non seulement ne lui est d'aucune utilité, mais le renvoie à un sentiment d'incompréhension et de culpabilité. « Je n'ai pas le droit de souffrir : quelle ingratitude envers la vie, ceux qui m'aiment et que j'aime. » Et pourtant, l'attente est là, lancinante, d'« autre chose » : un quelque chose que l'on ne cesse d'espérer, un « baume au cœur », le moyen d'oublier, ne serait-ce qu'un instant, ce vide persistant au creux de l'estomac. Ceux qui éprouvent cette soif douloureuse de l'âme souffrent d'autant plus qu'ils ignorent ce qui pourrait un jour l'étancher. S'ils le savaient, au moins pourraient-ils tout mettre en œuvre pour se satisfaire. Pour ressentir une réelle satisfaction.

Satisfaction vient du latin *satisfactio* (1155) : « disculpation », « réparation juridique » : 1° : « un acte par lequel quelqu'un obtient la réparation d'une offense » ; 2° : « un sentiment de bien-être ; plaisir qui résulte de l'accomplissement de ce qu'on attend, désire ou simplement une chose souhaitable » (Le Petit Robert). Il semble qu'éprouver une satisfaction profonde puisse être synonyme de plaisir et de bien-être, seulement pour qui a pu *au préalable* obtenir réparation de ses offenses. Si tel n'est pas le cas, la vie peut toujours apporter ce qui *devrait* donner satisfaction, remplir les cases définies comme étant celles du bonheur, « ce n'est jamais ça » : le plaisir et le bien-être viennent à manquer. On attend un bonheur qui ne vient jamais.

Être « en attente » ne permet pas d'accomplir ce que l'on attend. Bien au contraire. Plus on attend quelque chose de précis, plus on rend étroit son champ de vision et limitée sa capacité d'écoute. On ne voit et n'entend que ce que l'on veut voir et entendre, se limitant à des possibilités de plus en plus réduites ; et ce d'autant plus qu'« on attend l'impossible ». Dans la douleur de l'attente, nombreux sont ceux qui ne savent pas ce qu'ils attendent, si ce n'est que la vie leur *doit* quelque chose : l'autre n'est pas vu pour ce qu'il est mais pour ce qu'il est en devoir d'apporter. Comme une fleur qui s'oriente vers la lumière, toute leur attention est tournée vers cet amour qui ne leur est pas donné, qui ne leur a jamais été donné mais surtout, ils ne veulent le recevoir que de celui ou celle qui ne leur en donne pas.

« J'attends un appel : je regarde mon téléphone

et je n'entends rien. Je consulte mon agenda, je ne vois rien. Je regarde dans ma boîte aux lettres, il n'y a rien. Ils m'ont tous oublié. Ils ont leur vie et je ne leur en veux pas ; mais je suis las de demander. De demander quoi, je ne sais plus. Un geste, une attention. Que l'on me prête attention. Si je suis honnête, j'attends qu'"elle" me fasse un signe. Et en même temps, je n'attends plus rien d'elle car je n'ai rien à attendre d'elle. Comme ma mère, elle dit m'aimer, mais elle ne donne rien : elle demande, demande, demande... J'attends que celle qui prétend m'aimer me prouve qu'elle m'aime. J'espère, comme j'ai espéré toute ma vie, que l'on vienne vers moi : que ce soit l'autre qui fasse le geste. Enfin, je pourrai me sentir aimé. Enfin je pourrai vivre. »

La position de l'attente signifie que le bonheur doit toujours venir de l'extérieur de soi. De ceux que l'on aime et même de ceux que l'on n'aime pas : le moindre passant se doit par son sourire d'apporter chaleur et réconfort. Dans cette dépendance et la passivité qu'elle sous-tend, chacun peut passer sa vie à attendre et en vouloir ensuite à la terre entière de cet état de frustration qui n'a pas de fin. C'est toujours à l'autre qu'appartient le pouvoir de soutenir, d'encourager, d'accompagner. Même si cet autre n'est bien souvent pas encouragé à le faire. Car beaucoup revendiquent l'amour de ceux à qui ils ne cessent de dire qu'ils ne les aiment pas.

« Je ne comprends pas pourquoi j'attends de lui

d'être respectée, alors que pour moi il n'est pas respectable. Pas un rendez-vous qui ne soit manqué ou retardé, pas une promesse qui ne se révèle être un mensonge, pas un sourire qui ne masque des propos, justement hors de propos. Combien de preuves de son absence d'intégrité pour le reconnaître enfin tel qu'il est ? Qu'ai-je besoin de me faire mal, encore et encore, pour accepter l'idée que jamais il ne changera ? Pourquoi aimer tant celui qui est tout ce que je n'aime pas ? » Pourquoi continuer à souffrir en attendant d'être soulagé par celui qui ne fait qu'accentuer sa douleur ?

Victimes de son mal-être, le malheur est que l'on est prisonniers de ceux, et ceux-là seuls, qui peuvent nous en délivrer : toute victime reste liée à son bourreau tant qu'elle attend réparation. Des jeunes adolescents qui n'ont cessé de se sentir dévalorisés par leur père ou leur mère vont un temps se révolter contre eux. Ils sont à la fois meurtris et en colère d'être si mal considérés. Mais leur rébellion ne durera qu'un temps : ils n'ont pas « les moyens » de leur révolte. Ils ont encore trop besoin de trouver une identité, laquelle passe par une reconnaissance intellectuelle et sociale. On les revoit bien souvent reprendre à leur compte des valeurs qu'ils avaient rejetées en force, tant ils s'étaient sentis eux-mêmes rejetés. Et ils adoptent le système de pensée et de vie qu'ils avaient tenté de dénigrer, tant ils sont en demande d'une « adoption ». Il faut avoir des parents avant de pouvoir les quitter.

Pour les enfants, la mort serait de renoncer à exister au regard de ceux qui les ont toujours niés. Cette attente les fait vivre. Que deviendraient-ils si leurs forces n'étaient plus alimentées de leurs rages intestines, si la haine – si justifiée à leurs yeux – venait soudain à disparaître ? Que resterait-il qui leur appartienne en propre s'ils étaient délivrés de tout ce qui les a jusqu'alors constitués : ces regards, paroles et gestes qui, même s'ils les ont abîmés, ont fait d'eux ce qu'ils sont devenus ? Ils sont identifiés à cette mise en abîme : elle fait partie intégrante d'eux-mêmes. Pour aller de l'avant, il leur faudrait auparavant accepter ce qu'ils n'ont jamais pu accepter : renoncer à ce qu'ils attendent depuis toujours. On a besoin d'être reconnus, surtout dans les yeux de ceux qui ne nous ont pas reconnus.

Le besoin de reconnaissance contraint à faire alliance avec la maltraitance : l'amour est alors intimement lié à la haine. Une femme ou un homme blessé attend de qui l'a condamné la rédemption, de qui l'a enchaîné la libération, de qui l'a fait mourir le droit de vivre. Le bien n'existe qu'en proportion du mal qui a été fait : il s'agit de transformer un être malfaisant en bienfaisant, mal aimant en bien aimant. Une malédiction en bénédiction. En combattant le démon de l'autre on combat le sien. Et on y met d'autant plus de passion que l'enjeu est vital : la liberté est à ce prix. On croit guérir à la seule condition que puisse guérir celui ou celle qui a fait souffrir : on met son salut entre les mains de son bourreau. Le douloureux paradoxe de l'homme est d'avoir à descendre dans ses ténèbres pour y trouver la lumière.

On ne peut chercher sa lumière qu'en affrontant ses ombres. Et nous ne pourrions sans l'autre nous confronter au pire de nous-mêmes. Aussi long-temps que nous avons besoin d'évoluer, nous ren-controns hommes et femmes qui nous mettent en face de nos difficultés. On choisit *le même* que celui ou celle qui nous a fait souffrir – le père ou la mère, le plus souvent – et on attend qu'il devienne *un autre* : plus exactement, on choisit chez l'être aimé – celui qui *se doit* de nous aimer – une attitude qui nous a rendus malheureux et on n'a de cesse que l'autre change de comportement à notre égard. On se met ainsi dans une douloureuse attente : il suffit de regarder sa douleur et d'écouter ses pleurs pour savoir où il nous faut guérir.

Et ce d'autant plus que l'enjeu présent est un enjeu connu, un défi à la hauteur de nos vieilles espérances, un besoin de réparation qui sous-tend, sans que nous en ayons toujours conscience, notre élan amoureux. On croit aimer chez l'autre ce qu'il pourrait nous donner, mais on reste avec lui pour ce qu'il ne nous donne pas. On espère des gestes de générosité, mais on les attend de celui qui ne se montre justement pas enclin à donner, on voudrait tant recevoir enfin des marques de tendresse, mais on se tourne vers qui a des difficultés à exprimer ses sentiments. On souhaite recevoir ce que l'on n'a jamais reçu, mais on ne s'adresse pas à la bonne personne. Croit-on qu'il y ait une fatalité à ne pas être aimé ?

L'autre était-il ainsi avant de nous rencontrer ou avons-nous, dans la persistance de notre mémoire souffrante, révélé chez lui un trait de caractère parmi d'autres ? On le sait, qui peut être présent, généreux, attentionné avec une personne peut être absent, distant, égoïste avec une autre, qui se montre autoritaire par endroits peut ailleurs être soumis, et qui en certaines circonstances « se fait désirer » peut en d'autres être lui-même très désirant. L'autre peut être ange ou démon : à nous d'en faire un ange.

L'autre n'est que le reflet de cet ange ou démon que nous portons en nous. Si nous ne cessons de nous considérer comme « bons à rien », nous rencontrons ceux qui nous renvoient à rien et ne peuvent que nous anéantir davantage. Si nous ne pouvons croire qu'il y ait quelque intérêt à nous écouter, nous ne pouvons induire chez les autres une écoute favorable. Si nous sommes durs avec nous-mêmes, car il a fallu protéger « notre part tendre », nous ne pouvons recevoir sans douleur des marques de tendresse et trouvons plus naturel que l'on soit dur avec nous. Si nous avons besoin pour survivre de croire à un idéal, nous allons vers ceux qui font rêver et donnent à croire à une relation idéale : on est dans un rêve, espérant le meilleur, mais vivant le pire. Tant que nous ne sommes pas certains que le beau et le bon peuvent être réalité, nous ne pouvons y accéder.

Si un autre réveille nos démons, n'oublions pas qu'il est là pour nous aider à éclairer notre chemin : il nous fait souffrir afin de mettre en lumière cette souffrance. On ne doit pas faire des moyens une finalité : il ne s'agit pas de s'endormir sur un mal que l'on considère comme inexorable. Certains s'immobilisent dans leur malheur : ils restent long-temps fascinés par l'image du « mal » : maladie, malaise, mal-être. Ils vont mal, quoi que la vie puisse leur apporter, comme l'autre va mal, quelle que soit l'expérience heureuse qu'il peut relater. Et le monde va toujours mal, quoi qu'il puisse advenir : comme s'ils avaient contracté une alliance avec la souffrance, « la vie » ne cesse de donner raison à leur malheur. Ceux qui sont fascinés par le mal ne voient que le mal, partout où il se trouve et même là où il ne se trouve pas. Car ils ont encore mal : ce sont eux qu'il faut guérir et non le monde qui les entoure, du plus proche au plus lointain.

Ne laissons pas les démons prendre toute la place et envahir notre espace vital. Tirons de chaque expérience la leçon qu'elle nous donne. Une fois nos ombres mises en lumière, munis d'un savoir qui nous permettra d'être désormais plus vigilants, volons vers de nouvelles expériences. Ouvrons la porte à un avenir meilleur. Laissons la lumière entrer et nous apporter un éclairage nouveau. Agissons, avançons. N'attendons pas qu'un autre nous invite à parcourir la route de la vie, nous pourrions passer la vie à attendre ; suivons *notre* route. N'attendons pas que l'on nous invite à danser pour danser ; dansons. N'attendons pas d'être aimés pour aimer ; aimons.

Si nos démons réveillent en l'autre ses démons, de même notre part angélique attirera à elle la part angélique de l'autre. Viendront vers nous ceux qui peuvent être des anges et se découvriront plus angéliques ceux qui nous semblaient démoniaques. Nous sommes un ange, et l'autre devient un ange.

Croyons en la meilleure part de nous-mêmes. Réconciliés avec nos démons, on peut aller à la rencontre de qui nous veut du bien, si soi-même on se veut du bien. Car si on a confiance en soi, on est en confiance avec tout l'univers. On peut demander à l'ange qui est en soi, l'ange qui est la meilleure part de soi, de nous guider : il sait, il veut, il peut le meilleur pour nous. Donnons la parole à notre ange.

ÊTRE AUX ANGES

Fais confiance en ce que tu es
Et tu deviendras ce que tu veux être.
Prends conscience de ta beauté et ta conscience
sera belle.
Revêts l'habit de la gloire et ta gloire sera éternelle.
Toute ta force est en toi,
Mais tu la perds à la croire en dehors de toi.
Avance sans trop te préoccuper de qui tu es.
Tu découvriras ton vrai visage au fil du temps.
Sois qui tu es sans qu'il te soit besoin de savoir
qui tu es.
Sois, cela suffit. Cela est tout.

« Et Dieu vit que cela était bon. »

Genèse

« Quand je me fais gâter, choyer, dorloter, je suis aux anges. On s'occupe de moi et la vie se fait douce. Je peux enfin confier ma tête, mon corps, mon cœur à des mains amies, un regard accueillant, une écoute bienveillante. Que c'est bon ! » Pendant longtemps, nous n'osons pas nous confier : nous n'avons confiance en personne. Nos rares tentatives s'étant toutes soldées par le regret de nous être laissé aller, nous n'avons plus envie de recommencer. Convaincus de ne pouvoir être compris et las de nous retrouver face à une porte fermée, nous fermons la nôtre à celui ou celle qui voudrait nous approcher ; on ne lui donne guère l'opportunité de nous apporter ce que nous attendons.

Peu à peu on apprend à « ouvrir la porte » : on donne à l'autre la chance de donner.

« Je peux me débrouiller tout seul, je n'ai besoin

de personne », disent certains. Drapés dans leur dignité, ils s'enferment dans une vie de pauvreté, pauvreté de cœur et d'âme : plus le temps passe, et moins ils sont capables de dire ce qui leur ferait plaisir. Ils restent seuls avec leurs attentes et leurs espoirs. Plus exactement avec leur désespoir. Ils retiennent leurs pleurs comme ils contrôlent leurs élans. Et ils sont fiers de rester sur leur réserve : de maintenir entre eux et les autres une distance qu'ils croient justifiée tant ils se méfient de tout et de tous. Ils ont l'illusion, en se tenant à l'écart de la vie, qu'elle ne pourra plus les atteindre. Quelle illusion ! Parfois on ne cesse de s'isoler alors que l'on a un seul désir : partager.

Combien pensent que l'initiative doit toujours venir des autres et, par conséquent, attendent des gestes qui ne viennent pas. « À quoi cela sert de demander ? Pour subir l'affront de m'entendre dire "non" ! » Ils prendraient le risque non seulement de ne pas se faire entendre, mais aussi de constater combien l'autre ne se soucie guère de les satisfaire. Voilà pourquoi ils prennent le parti de se taire. Mais s'ils savent trop bien taire leurs désirs, ils ne savent pas taire leur déception et la laissent tant paraître qu'ils découragent ainsi les meilleures intentions. La plainte a pour effet d'éloigner ceux que l'on aimerait plus proches.

Pourquoi est-il parfois si difficile d'ouvrir les bras et le cœur à ceux qui se disent prêts à nous aimer ? Nous restons fidèles à l'idée que le bon n'est pas pour nous et, dans la peur d'être trahis, nous trahissons ceux qui croient en nous. Trop souvent déçus, nous entretenons cette conviction que la vie ne peut être que déception. On referme ses bras sur un vide que l'on redoutait. N'a-t-on pas eu nous-mêmes la sensation de décevoir ? Si notre père et notre mère ne pouvaient se contenter de ce que nous étions, si jamais on ne les sentait « contents », comment se contenter à notre tour de ce qu'ils étaient ? Comment se satisfaire de ce que les autres nous donnent ? Il faut retrouver confiance en soi pour faire confiance aux autres.

Comme il faut faire confiance aux autres pour retrouver confiance en soi : « Si l'homme que j'aime me dit que je suis belle, pourquoi ne pas le croire ? Si mes amis apprécient ma compagnie, pourquoi ne pas leur donner raison ? Si mon travail donne satisfaction, pourquoi ne pas reconnaître que j'ai des qualités ? Si ce que je donne est apprécié, c'est bien que je vaux quelque chose, que je suis quelqu'un. Alors enfin, je peux accepter l'idée de recevoir. Je peux entendre de l'autre ce qu'il a à me dire, l'accueillir dans ce qu'il se propose de m'offrir. » Ayant confiance dans le meilleur de soi-même, on peut voir et recevoir le meilleur de l'autre.

Il faut aimer ce que l'on est pour s'ouvrir à l'amour qui nous est donné : avoir conscience de ce que nous avons à offrir de beau et d'unique – chacun a quelque chose de beau et d'unique – pour nous offrir au regard de l'être aimé. De notre regard dépend le sien, de l'autorisation que nous nous don nons d'être aimés dépend l'amour qu'il nous porte : donnons-nous le droit d'être aimés et nous aimerons comme nous serons aimés, de tout notre cœur, de tout notre corps, de toute notre âme. Nous recevrons à la mesure de ce que nous savons pouvoir donner. « La mesure de l'amour est d'aimer sans mesure », dit saint Augustin.

Dans la peur d'être mal reçus, combien ont du mal à recevoir. Comment accueillir l'autre dans une intimité trop longtemps envahie par des paroles intrusives, des gestes irrespectueux : une intimité bafouée, parfois violée. Ils ont peur d'être à nouveau l'objet de critiques acerbes ou de violences incontrôlées ; et ne seront-ils pas abandonnés à leurs attentes par une absence d'attention ou encore niés dans ce qu'ils voulaient exprimer à la suite d'une interprétation erronée ? Qui ne s'est injustement entendu dire qu'il était « méchant » ? Ou encore : « tu es égoïste », « tu as un mauvais esprit », « on fait tout pour ton bonheur, tu fais tout pour notre malheur ». Comment ensuite *mériter* d'être aimé ? Si la blessure prend tout l'espace, l'amour ne peut s'y frayer la moindre place. Il faut restaurer son intérieur pour laisser la place au bonheur d'aimer et d'être aimé.

Être égocentrique n'est-il pas une conséquence de la maltraitance ? L'ange blessé a mal et celui qui a mal est dangereux pour lui et pour les autres. Dangereux par inadvertance plus que par désir de nuire. Il est simplement trop préoccupé de lui pour se préoccuper des autres. Il attend des autres des gestes qu'il se sent incapable de faire et réagit avec force dès qu'il se sent « forcé » dans son intimité. S'il finit par blesser ceux qui veulent l'approcher, c'est parce qu'il est déjà trop blessé pour se laisser approcher. Il a fermé sa porte, s'est enfermé dans le mutisme, renfermé sur sa solitude. À lui d'ouvrir sa porte, personne ne peut l'y contraindre. De laisser peu à peu entrer la lumière, l'amour et la joie.

> « Je frappe à la porte de la pierre :
> c'est moi, laisse-moi entrer.
> Je n'ai pas de porte, dit la pierre[1]. »

Laissons-nous la porte ouverte à nos désirs ? Parfois, « malheureux comme une pierre », nous avons un cœur de pierre. Pas seulement pour les autres, mais pour nous-mêmes : un cœur endurci, devenu sourd au chagrin d'autrui car sourd à son propre chagrin, aveugle à la beauté du monde car aveugle à sa propre beauté, incapable de s'ouvrir au bon qui lui est donné car obsédé par l'idée qu'il est mauvais. Un cœur qui ne se laisse plus pénétrer par la douceur de la vie, ses douceurs et ses bienfaits. Un cœur si lourd de chagrins qu'il ne peut donner libre cours à sa joie. Allégeons notre cœur de ses peines ; rendons-le plus vivant, plus vibrant, plus ouvert. Et les portes devant nous s'ouvriront.

« Jamais notre corps n'a été aussi lourd et notre

---

1. Wislawa Szymborska, *De la mort sans exagérer*, Fayard, 1996.

âme aussi légère que lorsque nous pleurons[1] », dit Jean-Loup Charvet. S'il faut verser des larmes, ne craignons pas de le faire : elles sont, avec le rire et les soupirs, l'expression silencieuse des paroles qui ne peuvent se dire. On « fond » en larmes et fondent dans le même temps les résistances qui nous interdisaient l'accès à la vérité de nos sentiments. On voit clair : un regard plein de larmes ne peut plus mentir ni se mentir à lui-même. Il n'est pas sûr de ce qu'il sait, mais il devine. Il s'approche de ces contrées inexplorées, de ces mondes obscurs et inquiétants qu'il lui faut traverser pour trouver la lumière. Il fait face à ses ombres et ses fantômes. L'ange blessé s'est réveillé, il a retrouvé la parole et le droit d'exister : il est sur le chemin de la guérison.

« Il est des lieux de nous-mêmes qui n'existent pas tant que les larmes n'y ont pas pénétré, il serait plus juste de dire qu'il y a des lieux de nous-mêmes qui n'existent pas tant que l'amour n'y a pas pénétré[2]. » Tant que nous n'avons pas fait la lumière sur nos ombres, que ne sont pas revenus à la surface les drames qui nous empêchaient d'avancer et que nous n'avons pu retourner à la source de nos premiers « malentendus », il est des « lieux » de nous-mêmes que nous n'avons pas encore habités. Tant que notre ange malheureux n'a pas été touché au cœur par la flèche de l'Éros, il ne sait pas la force

---

1. Jean-Loup Charvet, *L'Éloquence des larmes*, Desclée de Brouwer, 2002.
2. Jean-Yves Leloup, *Une femme innombrable – le roman de Marie-Madeleine*, Albin Michel, 2002.

d'amour qui est là, logée au plus profond de son cœur, comme un oiseau blessé qui ne demande qu'à s'envoler. Les larmes nous lavent de notre passé et redonnent vie à notre âme.

Pourquoi tant de beauté – « trop » de beauté pour certains – nous fait pleurer ? Pourquoi l'extase est-elle si souvent baignée de larmes ? Pourquoi certaines musiques éveillent-elles un bonheur mêlé d'une telle tristesse que l'on doive interrompre son écoute ? Ouvrir son cœur, laisser pénétrer l'amour et la compassion, cette tendresse infinie pour les êtres mortels et *finis* que nous sommes, cela fait mal. Faire éclater la lumière là où régnaient l'ombre et le chaos, s'ouvrir à un au-delà de soi, à une dimension d'éternité nous donnent la sensation de nous retrouver autant que de nous perdre. « S'il y a dans toute larme une promesse de lumière, il y a aussi dans chacune d'elles un souvenir d'obscurité[1]. »

Tandis que le beau, la lumière et la légèreté nous traversent, reviennent en mémoire la laideur, l'obscurité et la pesanteur. Au moment où la joie nous envahit, la tristesse reprend ses droits. En même temps que notre cœur s'ouvre à la beauté de l'univers, il se serre devant ce que nous savons être éphémère. La chute peut être d'autant plus cruelle que l'on est monté haut dans le ciel. Comment redevenir un simple mortel quand on a touché à l'immortalité, comment redescendre parmi les

---

1. *L'Éloquence des larmes, op. cit.*

humains quand on a côtoyé les étoiles, comment réintégrer ses propres limites quand on a atteint l'état de grâce ?

Faudrait-il alors fermer nos volets et verrouiller notre porte, nous interdire de rire et retenir nos larmes, nous refuser à aimer et réduire notre univers à « une peau de chagrin » ? Prenons le risque de vivre, car c'est bien de risque qu'il s'agit : celui d'aller vers la lumière et de faire la lumière sur ce que nous ne voulons ni voir ni savoir. Ouvrons notre porte à la joie même s'il nous faut affronter pour cela nos démons. Il n'y a pas de joie sans larmes et les larmes ne sont pas toujours tristes.

« La grâce comble, mais elle ne peut entrer que là où il y a un vide pour la recevoir[1] », dit Simone Weil. Laissons pleurer notre ange blessé : libre cours à ses émotions. Si nous lui donnons la liberté de s'exprimer, il nous laissera le champ libre pour recevoir à notre tour « la grâce » : « ce que l'on accorde à quelqu'un pour lui être agréable, sans que cela lui soit dû » (selon la définition du Petit Robert). Ne faisons pas des dons qui peuvent être faits un dû. Ce que nous considérons être un dû, nous en avons une idée si précise que nous ne voyons plus rien de tout ce qui nous est donné et qui peut cependant nous combler bien davantage que ce que nous attendions. Et sachons recevoir des cadeaux du ciel, témoignage de la bonté divine, qui nous

---

1. Simone Weil, *La Pesanteur et la Grâce*, Plon, 1988.

sont donnés « pour rien », avec gratuité et désintéressement. Le propre des anges n'est-il pas de nous accorder la grâce de leur protection et de leur bénédiction sans rien demander d'autre que de savoir l'accueillir ?

Notre ange est là, mais parfois nous l'ignorons. Il regarde nos blessures avec amour, écoute nos plaintes avec tendresse, guide nos pas avec justesse. Et s'il nous console, c'est de tout son cœur : on dit parfois que si nous pleurons, il pleure avec nous et que si nous sommes malheureux, il se désole pour nous. « Quand je suis au fond du désespoir, mon ange me fait des petits signes, des "clins d'œil" qui me rappellent à son existence. Et je reprends courage. Je ne suis pas seul : je sais qu'il m'aidera à trouver une solution, alors même que j'ai la sensation qu'il n'y a pas d'issue. » Notre ange nous souffle des mots d'amour et d'encouragement, mais il a lui aussi besoin que nous l'aimions et que nous l'encouragions. N'oublions pas sa présence tendre et attentive ; il ne nous oubliera pas.

Invitons-le à nous accompagner sur le chemin et dansons avec lui notre vie sur la musique qu'il nous inspire. Nous nous sentirons pousser des ailes.

« Restez, ô anges, restez auprès de moi !
Guidez-moi, à mes côtés,
Afin que mon pied ne glisse.
Mais enseignez-moi aussi, en même temps,

Votre sublime chant sacré
Et l'action de grâces envers le Très-Haut
Restez, ô anges, restez auprès de moi[1] ! »

1. Cantate de Jean-Sébastien Bach pour la Saint-Michel,
cité par Ansel Grün, *Chacun cherche son ange*, Albin Michel,
2000.

DÉPLOYER SES AILES

Tu t'ouvriras à plus grand que toi
Laisseras l'immensité de l'univers pénétrer
librement
Dans la moindre parcelle de ton corps,
Respireras au rythme des battements de ton
âme.
Tu aimeras comme tu n'as jamais aimé,
T'élevant au-dessus de ta petite histoire,
Évoluant dans un espace-temps
Qui deviendra espace-temple de ta beauté
intérieure.
Ayant accepté d'être rien, tu seras tout
Tu seras toi, dans un au-delà qui te dépasse,
Écho d'un vaste tout qui t'habite, te calme
Et t'enveloppe du mystère de la vie et de sa
lumière.

« Le maître hassidique dit à son disciple en lui montrant une fleur dont les pétales s'ouvrent comme les ailes d'un oiseau :

— Tu es un oiseau.

— Mais je n'ai pas d'ailes, dit le disciple.

— Les mots sont tes ailes. Parle, envole-toi ! Traverse l'espace et le temps, brise les chaînes d'une histoire qui ne t'appartient pas, qui n'a pas le droit de t'alourdir et de te retenir. Fais éclater l'horizon et retrouve le moment précieux du déchirement créateur, où soudain les choses revêtent un autre aspect dans un paysage inconnu[1]. »

ARTHUR GREEN

« Personne ne peut m'arrêter maintenant. J'ai des ailes[2]. »

CHRISTIAN BOBIN

1. Arthur Green, *La Sagesse dansante de Rabbi Nahman*, préface de Marc-Alain Ouaknin, Albin Michel, 2000.

2. Christian Bobin, *Le Christ Coquelicot*, éditions Lettres vives, 2002.

« L'amour me donne des ailes. Je me sens porté, léger, inspiré : je ne sens plus sur mes épaules le poids de mes difficultés et j'avance, serein, dans la justesse de mon chemin. Je sais où je vais, certain que c'est là où il me faut aller. J'ai les réponses aux questions que je me pose, ou plutôt que je me posais, car la vie se vit sans question. Je suis soulagé de mes doutes et de mes inquiétudes. Je suis et cela me suffit. » Quand l'amour est juste, on ne fait plus qu'un avec son désir. Le cœur est intelligent et l'intelligence a du cœur, le pied se fait aussi léger que la tête et on peut danser le bonheur d'aimer.

Est-ce un rêve inaccessible que d'atteindre cet état de grâce ? Est-ce un don du ciel réservé à certains et dont les autres seraient privés, une loterie divine, si l'on peut dire, un caprice des anges ? « Tu as de la chance », dit-on souvent. Certains auraient-ils de la chance tandis que d'autres en seraient dépourvus : ils vivraient un bonheur qui reste pour d'autres inconnu ? Cette croyance que « d'autres ont ce que l'on n'a pas », ce poison de la comparaison, maintient l'ange à distance ; elle ne le laisse pas faire son œuvre. Remplaçons-la par une autre : ce qui est inconnu maintenant, demain ne le sera plus. L'inconnu, c'est notre bon ange : laissons-le entrer dans notre vie.

« Soudain les choses revêtent un autre aspect dans un paysage inconnu. » Accordons-nous la liberté de penser qu'il peut un jour en être autrement : autre regard, autre écoute, autre ressenti. Permettons à notre ange de nous mener là où bon lui semble : de nous étonner agréablement. Mettons « la chance de notre côté » : confiant en sa bonne étoile, chacun peut découvrir un bonheur auquel il ne croit plus. Chaque instant peut être source d'émerveillement. Chaque instant est un présent.

Soyons toujours prêts à recevoir ce présent. Accueillons, le cœur et les bras ouverts, toutes les bontés que notre ange est disposé à nous prodiguer. Et allons vers lui, sans attendre qu'il vienne vers nous. Pensons le futur en termes de joies et de grâces à venir : de grandes rencontres à vivre, de belles choses à accomplir. Écoutons le souffle de son inspiration, donnons des ailes à notre imagination. Voyons large, ouvrons à tous les possibles, voguons vers l'infini : déployons nos ailes.

Les ailes, dans la lecture que nous en donne Marc-Alain Ouaknin[1], « offrent aux mots une orientation vers le visage d'autrui, où la parole dit "oui" à la relation ». On rejoint le « oui » de Prajnânpad : « Oui, c'est ainsi... c'est ainsi... Tout ce qui est est là. C'est comme c'est. Le sentiment d'unité apparaît alors. Et l'amour apparaît aussi. Vous êtes

---

1. Marc-Alain Ouaknin, *Le Réveil des anges*, « Dans le double silence du nom », Autrement, 1996.

libre... vous êtes libre... complètement libre[1]. »
Déployer ses ailes, n'est-ce pas dire « oui » à « ce qui
est », à l'ange qui nous apparaît à travers le « visage
de l'autre » et tous les visages qu'il sait emprunter
pour se manifester à nous.

Déployer ses ailes nous demande de voir au-delà
du visible, de développer un espace de liberté là où
les mots étaient enfermés, d'« ouvrir la cage » à des
pensées restées trop longtemps prisonnières de nos
attentes et de nos idéaux, de laisser enfin s'envoler
les idées folles que retenaient des peurs et des interdits, de sortir du sillon tracé pour nous depuis des
siècles et des siècles. De dire « oui » à notre vrai
désir. Allons-y. N'ayons plus peur, peur d'aimer, de
vivre, de risquer notre vie. « Impose ta chance, serre
ton bonheur et va vers ton risque. À te regarder, ils
s'habitueront[2]. »

Que craignons-nous encore ? Qu'avons-nous
peur de « lâcher » ? Que pensons-nous perdre si
nous laissons nos ailes caresser cet air pur, illimité,
qui est celui de la liberté ? Quand nous sommes
près de devenir légers, s'impose tout ce qui nous
pèse encore : chacun de nous peut alors s'interro-
ger sur les raisons – qui ne sont pas toujours justifiées – qui retiennent son envol. Pour qui et pour
quoi pensons-nous encore devoir sacrifier notre
vie ? « Sacrifier » : « faire sacré ». Oui, il y a du sacré

---

1. Cité par André Comte-Sponville, *De l'autre côté du
désespoir*, éd. Acarias-l'Originel, 1997.
2. René Char, *Recherche de la base et du sommet*, Gallimard, 1997.

à être à l'écoute de l'autre, des autres, et certainement ne le sommes-nous jamais assez.

Il y a aussi du sacré à être à l'écoute de nous, non de ce *moi* orgueilleux, capricieux, malheureux, mais de ce *soi* qui porte en lui son envol, qui embrasse l'éternité, qui voit plus loin, toujours plus loin, plus grand, toujours plus grand. Un *soi* qui serait un *moi* débordant ses limites, expansif, dilaté et généreux, un *moi* qui n'aurait plus peur d'être, de vivre en toute conscience sa propre existence, de respirer en toute lucidité ce qu'est véritablement le souffle de la vie. Cette part de nous qui est un ange.

L'ange est bon et généreux, intelligent et clairvoyant, beau et lumineux. Mettons-nous à son service et louons ses services. Soyons à son écoute. Et pour l'écouter, commençons par « demander » : demander dans le secret de son âme d'enfant qui n'a pas peur de ses rêves. Prenons l'initiative. « Demande, dit l'ange de Lili dans *Dialogues avec l'Ange*[1]. Je suis venu pour te répondre. Demande ! » Quelle tendresse, quelle autorisation à croire que l'on peut être écouté et quelle invitation à s'écouter soi-même. Car si nous demandons, nous sollicitons une réponse qu'il faut savoir écouter.

Nous sollicitons une réponse aux vœux si chers à notre cœur : ce que nous souhaitons ardemment

---

1. Gitta Mattaz, *Dialogues avec l'Ange*, Aubier-Flammarion, 1990.

depuis toujours, mais à quoi nous ne croyons plus, ou peut-être à quoi nous n'avons jamais cru, ce qui est essentiel à notre vie, mais que nous avions laissé de côté pensant que ce n'était « pas pour nous ». Si nous ne pouvons accueillir ce qui nous fait rêver – et pourquoi pas ce qui nous fait le plus rêver –, qui le fera pour nous ? Si nous n'entrons pas pleinement dans notre histoire, qui la vivra pour nous ? Formulons en positif et dans le présent ce que nous avons envie de vivre. Et osons nous projeter dans la situation visualisée, avec la représentation intérieure d'un profond bien-être. N'oublions pas que nous sommes roi et reine de notre propre royaume.

Restons ouverts au meilleur sans faire de notre souhait un besoin, ni nous enfermer dans un idéal à atteindre, un but qui serait si précis que rien de ce qui nous est donné puisse jamais nous combler. Sans mettre des restrictions et des limites entre nous et les autres, le monde et l'univers : des « mais », des « peut-être », des « je ne sais pas », des « on verra ». Restons ouverts au meilleur avec la conviction intime, quoi qu'il advienne, que ce que nous allons vivre sera bien. « Je suis un chemin et me sens guidée tout au long du chemin. Je sais que devant toute situation je saurai comment agir[1] » (Etty Hillesum).

« Quand j'étais petit, je parlais tous les jours à mon ange. À mes anges : je suis convaincu qu'ils

---

1. *Une vie bouleversée, op. cit.*

sont nombreux à me protéger tant ma vie est une succession de drames et d'accidents dont je suis sorti, miraculeusement, indemne. Mes anges n'ont pu empêcher toutes les difficultés, mais je n'ai pas eu à en subir de conséquences dramatiques. Mes anges ont évité que cela se passe mal ; cela aurait pu être bien pire. Et ils m'ont évité d'avoir mal. »

Si quelque mésaventure nous attend au coin du chemin, n'oublions pas notre ange. Ne l'avons-nous pas déjà croisé sur notre route, même si nous ne le savions pas ? Convaincus d'être dans une impasse, las et désespérés, nous avons pu trouver une solution et un remède, une occasion de comprendre et de grandir, de mieux aimer et de mieux vivre. Nous avons pu trouver en nous, ou nous ont été données, les ressources nécessaires pour « nous en sortir » : sortir de la douleur, du manque, de la perte, de l'absence. Notre bon ange était là qui nous a protégés, et parfois sauvé la vie.

Dans la Bible, de nombreux exemples nous sont donnés de ces interventions angéliques. Au-delà de l'histoire, elles délivrent un message symbolique. « L'histoire de Jacob veut nous montrer que l'ange est près de nous là même où nous trébuchons et que c'est là précisément où nous tombons sur le nez que le ciel s'ouvre au-dessus de nous et que nous sommes comblés par la bénédiction divine », écrit Anselm Grün dans *Chacun cherche son ange*[1]. De la pierre que Jacob rencontre sur son

_____
1. *Op. cit.*

chemin, « l'ange fait le support où s'appuie l'échelle qui relie la terre au ciel ». Il fait référence au songe de Jacob : « Voilà qu'une échelle était dressée sur la terre et que son sommet atteignait le ciel, et des anges de Dieu y montaient et descendaient » (Gen. 28, 10). Notre ange est là pour nous mener jusqu'au ciel.

Mais le ciel, n'est-ce pas cette part de lumière qui est en nous, éclaire nos ombres et nous guérit peu à peu de nos démons, laisse la place à l'expression d'un amour vrai, détaché des liens obscurs qui en empêchaient le libre épanouissement ? « Des anges de Dieu y montaient et descendaient » : nous sommes tout à la fois ceux qui montent vers la lumière et ceux qui descendent dans les profondeurs des pensées les plus noires. Et pour voir la lumière, il nous a fallu affronter bien des nuits obscures. S'il nous est donné d'aller toucher les étoiles, n'oublions pas que nous avons les pieds sur terre.

« Jusqu'au plus petit des êtres vivants porte un soleil dans les yeux[1]. » Appelons à nous la lumière, et pleins de l'éclat et de la lucidité qu'elle nous transmet, soyons cet ange bienveillant et protecteur capable de guérir notre ange blessé : la part qui nous veut du bien peut nous délivrer de celle qui nous fait du mal. Sollicitons ses forces vives, celles qui sont du côté de la vie.

Soyons pour nous-mêmes la meilleure mère qui

---

1. *Voix, op. cit.*

soit : accueillons nos blessures, soyons doux et compréhensifs envers elles, chuchotons à notre oreille des mots d'amour et de consolation : ayons pour nous-mêmes un amour inconditionnel. Soyons aussi le meilleur père qui soit : guidons nos pas avec tendresse et fermeté, afin de ne pas nous perdre sur le chemin et de nous protéger de dangers éventuels, ayons sur nous un regard sans complaisance, mais qui nous encourage au travail bien fait, à la parole et à l'action.

Dans ce dialogue avec cette bonne mère, parfois celle que nous aurions aimé avoir, et avec ce bon père, ce père qui aurait pu être le nôtre, nous nous réconcilions avec notre mère et notre père tels que nous les avons intériorisés. Ils ne peuvent plus nous faire de mal ; bien au contraire, ils ne nous font que du bien. Ils ne sont plus une menace et nous pouvons enfin nous exprimer face à eux, leur dire ce que nous n'avons jamais osé leur dire, dans un dialogue imaginaire ou dans la réalité.

Ayant confiance en nous, en eux, nous pouvons nous ouvrir en toute confiance aux autres. Nous ne sommes plus freinés dans nos élans, arrêtés dans notre envol ; nous ne sommes plus attentifs à « faire attention » – position d'arrêt et de repli – mais dans une attention vive et éveillée au monde qui nous entoure – position d'ouverture et d'écoute. Nous en avons fini de la dualité qui oppose nos pensées et nos paroles, nos paroles et nos actes. Nous sommes tout entiers dans notre vie à accomplir.

« Il faut être à soi-même sa propre lumière. Cette lumière est la seule et unique loi : il n'en existe pas d'autre. Au sein de cette lumière il n'y a place que pour l'agir, de sorte que jamais l'action ne peut être contradictoire », nous dit Krishnamurti [1]. Et il insiste sur l'art de la méditation. La méditation est un des moyens – à chacun de trouver le sien – pour garder le lien avec notre ange : être avec lui dans l'amour et la lumière. « L'important, c'est l'art de la méditation. L'un des sens du mot "art", c'est la notion de mettre les choses à leur juste place. Dès lors que l'existence quotidienne sera vécue sous le signe de l'ordre, de la justesse, du silence total de l'esprit, l'esprit découvrira de lui-même si oui ou non l'incommensurable existe. La méditation "juste" est indispensable pour redonner à l'esprit sa fraîcheur, sa jeunesse, son innocence. Ce qui est "innocent" n'est en aucun cas susceptible d'être blessé [2]. »

Le mot juste renvoie à la note juste. Il est essentiel d'être à l'écoute de la note juste pour être juste avec soi et avec les autres, pour s'accorder au monde, à l'univers, aux autres, à soi. Posons-nous la question : ma parole, mon geste, ma décision sont-ils justes ?

« Où est l'ange en toi ?

— Celui qui peut te donner le *la* [3]. »

Un chanteur doit entendre en lui la note avant de

---

1. Krishnamurti, *Cette lumière en nous*, Stock, 2000.
2. *Ibid.*
3. *Dialogues avec l'Ange, op. cit.*

la chanter, « un pianiste ne pourra jamais obtenir un beau son s'il ne l'a entendu auparavant. Et pour entendre ce son, il faut le laisser émerger du silence, le laisser mûrir en soi afin qu'il trouve sa propre couleur, sa propre vibration[1] ». Beethoven disait : « Ce matin, je me suis réveillé en ré majeur. » Sons et couleurs : tout n'est que vibration. C'est à nous de décider « la vibration » que nous voulons imprimer à un moment, une rencontre, un projet, d'anticiper de quelle « couleur » sera notre journée, de « donner le ton » à une relation, de faire résonner chaque acte du quotidien de la sonorité la plus belle et la plus harmonieuse. De vivre le cœur chantant et l'âme éclatante de couleurs.

« [...] Voilà ce que tu cherches et tu vas le trouver. À la place de la grisaille ensommeillée viendra un rayonnement merveilleux de couleurs[2]. »

La musique est le chant de l'âme. Écoutons avec notre oreille intérieure, avec l'oreille du cœur, la musique des mots : distinguons les notes justes des fausses notes, les amitiés profondes de celles qui sont superficielles, les présences et paroles prometteuses des fausses promesses et des « paroles en l'air ». Les voix montent et descendent : elles en disent long sur ce qu'il nous faut entendre. Notre discernement nous évitera d'aller ou de rester là où ça ne « sonne pas juste » et d'éviter ainsi de faire

---

1. *Musique et Spiritualité, op. cit.*
2. *Dialogues avec l'Ange, op. cit.*

fausse route. Soyons vigilants pour faire confiance à ce que l'on entend.

« J'écoute parfois les voix sans me laisser distraire par les mots qu'elles portent. Ce sont alors les âmes que j'entends. Chacune a sa vibration propre. Certaines n'émettent que des fausses notes : il faudrait qu'un Dieu retende leurs cordes, comme un aveugle accorde un piano[1]. »

Insufflons de la tendresse de l'ange dans notre écoute, de sa générosité dans notre regard, de son ouverture dans notre approche. L'ange est là pour nous aider à mieux nous écouter et mieux écouter les autres. À y mettre tout notre cœur. Bien souvent, on attend de l'autre qu'il nous dise ses douleurs pour que nous puissions le consoler, ses désirs afin de pouvoir le satisfaire. Avons-nous pris le temps de l'entendre, le soin de l'écouter : plus précisément le soin de nous écouter quand nous l'entendons ? Avons-nous laissé résonner dans notre cœur les accents de tristesse ou de gaieté qui demandaient à être salués, partagés, reconnus ? Nous voulons tant être là que nous n'y sommes plus. Nous répondons avant même de savoir ce qui voulait être dit. Nous parlons pour nous mais non pour l'autre. L'autre dans son altérité, avec son histoire, triste ou gaie, sa vérité, sa beauté. Sa vraie beauté.

1. Christian Bobin, *Ressusciter*, Gallimard, 2003.

« En chaque homme tu trouveras un point positif. Même chez ceux qui t'apparaissent comme les pires mécréants.

Inlassablement, généreusement, cherche, récolte, écoute..

Ce sont comme des notes de musique.

Danse, frappe des mains !

Fais surgir la mélodie !

Écris le chant joyeux de la guérison.

Le chant précieux de la délivrance... »

Rabbi Nahman appartenait au hassidisme, le dernier courant de la mystique juive, qui voit « l'univers dans son entier animé de la lumière de l'infini ». La tradition, relate Marc-Alain Ouaknin, dit : « par une puissante fixation de l'esprit et une concentration intense touchant au fond du cœur, l'homme doit s'efforcer de percevoir ce chant de l'infini ». Rabbi Nahman insiste sur l'importance de la joie et du chant qui peuvent avoir une fonction de guérison : « Quand la joie et le chant sont abîmés, la maladie s'empare de l'homme. La joie est un grand remède. Il s'agit de trouver en soi un seul point positif qui nous rende joyeux et de s'y attacher[1]. » La joie est la manifestation d'un accord parfait.

Dans le sillage de l'ange, prenons notre envol, et si nos ailes sont parfois un peu lourdes, adressons-

---

1. Préface de M.-A. Ouaknin du livre sur Rabbi Nahman déjà cité.

nous à lui par la prière : « C'est bon pour les anges, les ailes, pour un homme, elles sont lourdes. La prière doit suffire à un homme pour voler, elle monte au-dessus des nuages et des pluies, au-dessus des plafonds et des arbres. Notre manœuvre de vol, c'est la prière[1]. »

De tout temps, des hommes et des femmes ont cherché des lieux propices à la prière : une chapelle, le sommet d'une montagne, l'ombre d'un olivier ou d'un figuier. Cet autel, on peut le porter dans son cœur : faire de sa foi une chapelle intérieure et de ce qui nous est donné à voir une cathédrale. La contemplation est déjà une prière : la reconnaissance d'un monde où tout est lumière et mystère, la sensation de ne plus faire qu'un avec l'univers. Il nous est possible de fermer les yeux et de plonger dans un océan de béatitude : sensation d'infini au cœur de notre esprit. Nous sommes porteurs d'éternité au plus profond de notre chair.

Avant de parvenir à cette dimension religieuse – dans le sens d'être relié à un plus grand que nous, un au-delà de nous-mêmes –, il faut du temps, mais surtout avoir fait le choix de le prendre. De se donner – c'est bien un don que l'on se fait à soi-même, avant de le transmettre aux autres – le temps et l'espace d'aller à la rencontre d'un autre espace-temps que celui de notre quotidien. Après, et seulement après, nous pourrons l'intégrer à chacun des

1. Erri de Luca, *Montedidio*, Feryane, 2002.

actes de notre vie : nous voyageons dans ce qui est le plus quotidien de notre vie.

« Les plus larges fleuves s'engouffrent en moi, les plus hautes montagnes se dressent en moi. Derrière les broussailles entremêlées de mes angoisses et de mes désarrois s'étendent les vastes plaines, le plat pays de ma paix et de mes abandons. Je porte en moi tous les paysages. J'ai tout l'espace voulu. Je porte en moi la terre et je porte le ciel[1]. »

Laissons l'ange grandir en nous ; prenons de l'envergure. Ouvrons-nous à plus haut, plus vaste, à toujours plus d'espace. Écoutons l'univers jusqu'à nous oublier : quelque chose s'ouvre en nous qui devient illimité. Ne rendons jamais banale la splendeur du monde qui nous entoure ; soyons toujours ouverts à sa beauté.

Maintenant, je me tais. Je donne la parole au silence. Laissons-nous caresser par le souffle des anges, porter par leurs ailes, emporter au son de leur musique.

> Tu es parcelle de lumière,
> Partie d'un grand tout,
> Éclat de soleil et de vie.
> Tu nais du ciel.

---

1. *Une vie bouleversée, op. cit.*

Je voudrais remercier tout particulièrement :

Jean-Yves Leloup, dont l'enseignement est parole d'ange. Il m'a ouvert la voie des Écritures, et de bien d'autres textes que j'ignorais, grâce à sa lecture simple et lumineuse : il donne à entendre une pensée « autre » et en même temps si proche, poétique et si immédiatement accessible.

Catherine Conti, mon « amie spirituelle ». Dans la douceur et la joie d'un accompagnement réciproque, il nous est donné de partager le chemin et d'être l'une pour l'autre à l'écoute de notre ange allié et complice.

Ferrante Ferranti, « un ange qui photographie les anges ». Il a pris le temps de poser sur ces pages un regard tendre et critique. Avec la même exigence de justesse et de beauté qu'il a pour tout ce qu'il vit et ce qu'il fait.

Sylvia Feitel dont l'écoute pendant de nombreuses années a su réchauffer mon cœur et calmer des douleurs, me permettant de trouver une paix que je peux transmettre à mon tour.

Françoise Gautier qui sait si bien nous dire et nous redire combien il est essentiel de se respecter et de nous offrir le meilleur à vivre, sur tous les plans, maintenant et pour toujours.

Impression réalisée sur CAMERON par

BUSSIÈRE CAMEDAN IMPRIMERIES

GROUPE CPI

à Saint-Amand-Montrond (Cher)
pour le compte des Éditions France Loisirs
en octobre 2004

Photocomposition Nord Compo
Villeneuve-D'Ascq

N° d'édition : 41399. — N° d'impression : 043881/1.
Dépôt légal : octobre 2004.

Imprimé en France